PREPARADA, LISTA...
¡BIENVENIDA A CLASE!

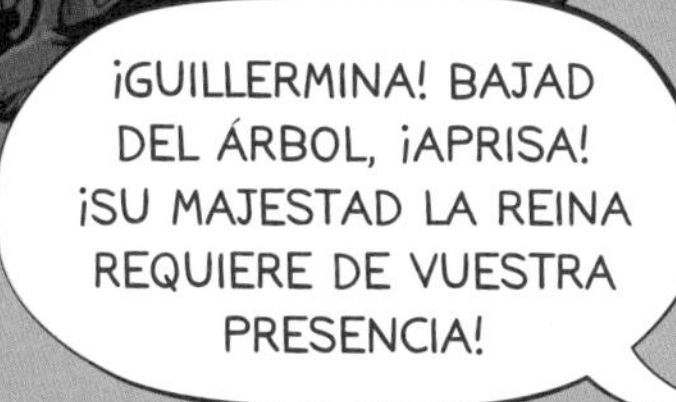
¡GUILLERMINA! BAJAD DEL ÁRBOL, ¡APRISA! ¡SU MAJESTAD LA REINA REQUIERE DE VUESTRA PRESENCIA!

¿LA REINA? ¿ME BUSCA?
¿ACASO VUESTRO NOMBRE NO ES GUILLERMINA? APRISA, ¡NO HAGÁIS ESPERAR A SU MAJESTAD!

¡MADRE! ¡MADRE! LA REINA QUIERE VERME.

¿Y A TI QUÉ TE HA PASADO?
¡ME CAÍ EN EL POZO DE BARRO!

MÁS VALE QUE TE APRESURES. AHORA VENIMOS.

¡NO HAGÁIS ESPERAR A SU MAJESTAD!
PANADERÍA
¡CORRED, MUCHACHA!
¡A FE MÍA QUE QUIERE METEROS EN EL CEPO!

¡AH! AHÍ ESTÁ LA REINA!

¡ZAS!
¡ZAS!

¡ZAS!

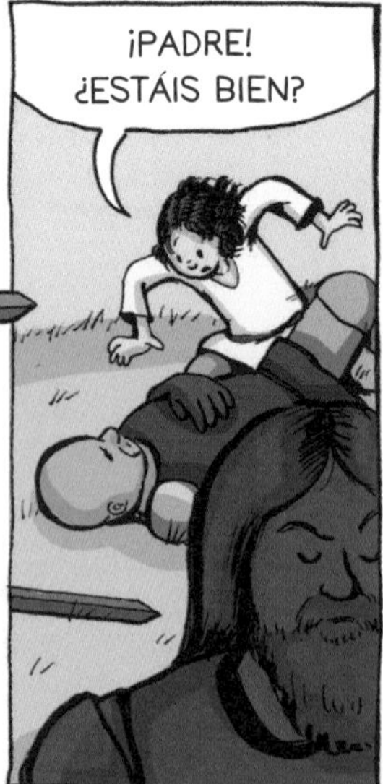
¡PADRE! ¿ESTÁIS BIEN?

ME HE LLEVADO UN GOLPE EN LA CABEZA, PERO YA SABEMOS QUE CABEZA, PRECISAMENTE, NO TENGO MUCHA.

BUENA LID, CABALLEROS. AHORA RETÍROME A MIS APOSENTOS, ESTE CALOR ME QUITA EL SOSIEGO.
A SUS PIES, MAJESTAD. ¿MANDASTEIS POR MÍ?

AH, SÍ. DAMA GUILLERMINA, HA LLEGADO A MIS OÍDOS QUE HABÉIS CUMPLIDO ONCE AÑOS Y DESEÁIS EMPEZAR VUESTRO ENTRENAMIENTO COMO ESCUDERO.
¡ASÍ ES, MAJESTAD!

¿ESTÁIS SEGURA DE QUE ES EDAD SUFICIENTE PARA SERVIR AL REINO? MIS ESCUDEROS DEBEN SER VALIENTES. DECIDME, JOVENCITA... ¿CÓMO DEMOSTRARÉIS VUESTRO CORAJE?

CON LA VENIA DE SU MAJESTAD, ¡VOY A ENFRENTARME A UNA MISIÓN HARTO PELIGROSA PARA DEMOSTRAR MI FUERZA Y VALOR!

¿AH, SÍ? ¿Y ADÓNDE OS LLEVARÁ ESTA MISIÓN TAN PELIGROSA?

IRÉ...

Título original: *All's Faire in Middle School*

Benito Castro, 6
28028 MADRID
www.maevayoung.es

ISBN: 978-84-17708-03-0
Depósito legal: M-521-2019

Diseñado por Victoria Jamieson y Pablo Henry
Coloreado por David Lasky
Traducción: © Marta Armengol Royo, 2018
Adaptación de cubierta e interiores: Gráficas 4

Este libro lo distribuye en EEUU Lectorum LECTORUM

Bienvenido a la Feria Medieval
SALIDA
ASEOS
JUSTA

PEFC
14-33-00056-BVC

Este libro se ha elaborado con papel procedente de bosques gestionados de forma sostenible, reciclado y de fuentes controladas, avalado por el sello de PEFC, la asociación más importante del mundo para la sostenibilidad forestal.

MAEVA desea contribuir al esfuerzo colectivo y permanente de proteger y preservar el medio ambiente y nuestros bosques con el compromiso de producir nuestros libros con materiales responsables.

PREPARADA, LISTA... ¡BIENVENIDA A CLASE!

¡A SECUNDARIA!

Victoria Jamieson

MAEVA young

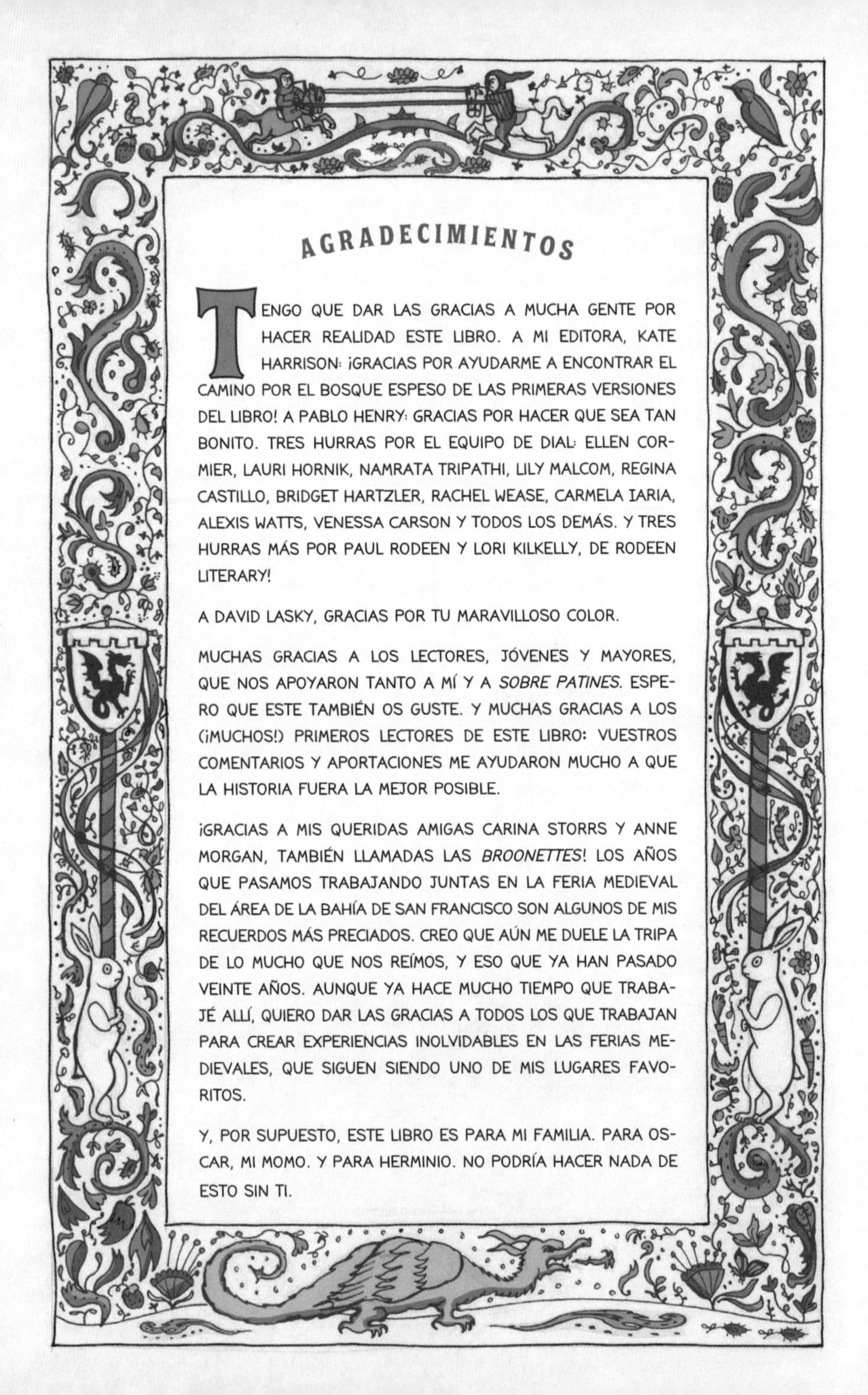

AGRADECIMIENTOS

TENGO QUE DAR LAS GRACIAS A MUCHA GENTE POR HACER REALIDAD ESTE LIBRO. A MI EDITORA, KATE HARRISON: ¡GRACIAS POR AYUDARME A ENCONTRAR EL CAMINO POR EL BOSQUE ESPESO DE LAS PRIMERAS VERSIONES DEL LIBRO! A PABLO HENRY: GRACIAS POR HACER QUE SEA TAN BONITO. TRES HURRAS POR EL EQUIPO DE DIAL: ELLEN CORMIER, LAURI HORNIK, NAMRATA TRIPATHI, LILY MALCOM, REGINA CASTILLO, BRIDGET HARTZLER, RACHEL WEASE, CARMELA IARIA, ALEXIS WATTS, VENESSA CARSON Y TODOS LOS DEMÁS. Y TRES HURRAS MÁS POR PAUL RODEEN Y LORI KILKELLY, DE RODEEN LITERARY!

A DAVID LASKY, GRACIAS POR TU MARAVILLOSO COLOR.

MUCHAS GRACIAS A LOS LECTORES, JÓVENES Y MAYORES, QUE NOS APOYARON TANTO A MÍ Y A *SOBRE PATINES*. ESPERO QUE ESTE TAMBIÉN OS GUSTE. Y MUCHAS GRACIAS A LOS (¡MUCHOS!) PRIMEROS LECTORES DE ESTE LIBRO: VUESTROS COMENTARIOS Y APORTACIONES ME AYUDARON MUCHO A QUE LA HISTORIA FUERA LA MEJOR POSIBLE.

¡GRACIAS A MIS QUERIDAS AMIGAS CARINA STORRS Y ANNE MORGAN, TAMBIÉN LLAMADAS LAS *BROONETTES*! LOS AÑOS QUE PASAMOS TRABAJANDO JUNTAS EN LA FERIA MEDIEVAL DEL ÁREA DE LA BAHÍA DE SAN FRANCISCO SON ALGUNOS DE MIS RECUERDOS MÁS PRECIADOS. CREO QUE AÚN ME DUELE LA TRIPA DE LO MUCHO QUE NOS REÍMOS, Y ESO QUE YA HAN PASADO VEINTE AÑOS. AUNQUE YA HACE MUCHO TIEMPO QUE TRABAJÉ ALLÍ, QUIERO DAR LAS GRACIAS A TODOS LOS QUE TRABAJAN PARA CREAR EXPERIENCIAS INOLVIDABLES EN LAS FERIAS MEDIEVALES, QUE SIGUEN SIENDO UNO DE MIS LUGARES FAVORITOS.

Y, POR SUPUESTO, ESTE LIBRO ES PARA MI FAMILIA. PARA OSCAR, MI MOMO. Y PARA HERMINIO. NO PODRÍA HACER NADA DE ESTO SIN TI.

CAPÍTULO UNO
PAPÁ
MAMÁ
¡HOLA!
WELCOME
TIFFANY
FÉLIX

Nuestra historia empieza aquí... Al principio, nuestra protagonista Guillermina aún no se lo imagina, pero su viaje por el bosque oscuro y traicionero de secundaria la llevará por un camino de lo más tortuoso...

AY, SOIS MUY VALIENTE.
LA SECUNDARIA ES **LO PEOR**.
¡UN LUGAR HORRIBLE, LA SECUNDARIA!
LOS PEORES AÑOS DE MI VIDA.

¡GRACIAS A TODOS POR LOS ÁNIMOS! ¿NO SE SUPONE QUE LOS ADULTOS TENÉIS QUE **ANIMAR** A LOS NIÑOS A IR A LA ESCUELA?

ESO SERÁN OTROS ADULTOS, NIÑA. Y A **TI** ¿QUÉ TE HA PASADO?
¡VOLVÍ A CAER EN EL POZO DE BARRO CUANDO VENÍAMOS!

¡MAMÁ! ¿HAS OÍDO? ¡EMPEZARÉ MI ENTRENAMIENTO PARA SER **ESCUDERO**!

SÍ, MOMO. ¡MI NIÑA SE HACE MAYOR!
AY
¡**BASTA**, MAMÁ!

MI FAMILIA LLEVA TRABAJANDO EN LA FERIA MEDIEVAL DESDE QUE YO ERA UN BEBÉ. HASTA AHORA, NO ME DEJABAN HACER NADA MÁS QUE ECHAR UNA MANO EN LA TIENDA Y CUIDAR DE FÉLIX. PERO COMO **ESCUDERO**, ¡SERÉ UN MIEMBRO DEL REPARTO!

¿PODRÉ PARTICIPAR EN LAS JUSTAS? ¿Y EN EL AJEDREZ HUMANO? OYE, ¿Y CUÁNTO ME **PAGARÁN?**

JOVENCITA, NO OLVIDES QUE ESTÁS DE PRÁCTICAS. DEBERÁS MOSTRAR TU VALOR ANTES DE PODER ACTUAR ANTE EL PÚBLICO.

Y LA PAGA... LOS APRENDICES COBRAN VEINTE DÓLARES A LA SEMANA.
¿VEINTE DÓLARES A LA SEMANA? ¡VOY A SER **RICA!**

TU PRIMER ENSAYO SERÁ MAÑANA A LAS NUEVE DE LA MAÑANA.
SÍ, MAJESTAD. ¡GRACIAS, MAJESTAD!

¡MIRA LO QUE TENGOOOO!

¡JOOOOO!

GUILLERMINA, GUARDA ESO O TE LO QUITARÉ. VAMOS, QUE PAPÁ TIENE QUE TERMINAR EL ENSAYO.

SEÑORA MÍA.
MUÁ
¡PUAJJJJ!

ANDA, NO SEÁIS CRÍOS. MOMO, VAMOS A TERMINAR TUS COMPRAS PARA LA SECUNDARIA.
¡BIEEEEN!

MAMÁ Y YO YA COMPRAMOS LIBRETAS Y BOLÍGRAFOS Y DEMÁS, PERO ME PROMETIÓ QUE ME DEJARÍA ELEGIR DOS COSAS MUY IMPORTANTES EN LA FERIA...

PRIMERO, NECESITABA UN AMULETO.
LOS CRISTALES SON PIEDRAS PODEROSAS. CONDUCEN LA ENERGÍA DE LOS ASTROS AL ALMA.
ME TRAERÁ BUENA SUERTE, ¿VERDAD?

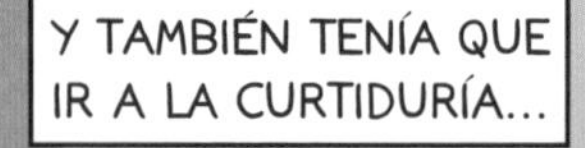
Y TAMBIÉN TENÍA QUE IR A LA CURTIDURÍA...

¡MIS NUEVAS BOTAS! ¡QUÉ BONIIIITAS!
LLÉVALAS TANTO COMO PUEDAS PARA QUE EL CUERO SE ABLANDE. Y SI SE TE QUEDAN PEQUEÑAS, TRÁEMELAS, QUE LAS ESTIRARÉ UN POCO.

CUÍDALAS BIEN, MOMO. SON UNA OBRA DE ARTE.
YA LO SÉ, ¡ME ENCANTAN!

LAS BOTAS COSTABAN $ 140 Y TUVE QUE PAGAR LA MITAD. POR SUPUESTO QUE IBA A CUIDARLAS.

¡YO TAMBIÉN QUIERO UNAS BOTAS! ¿POR QUÉ MOMO LO TIENE TODO NUEVO?

A TI TE COMPRAMOS UNAS DEPORTIVAS NUEVAS, ¿TE ACUERDAS? ADEMÁS, MOMO VA A IR A LA ESCUELA, LAS NECESITA.

¿Y YO POR QUÉ NO VOY A LA ESCUELA? ¿EH? ¿EH? ¿EH?

NO SÉ SI TÚ ESTÁS HECHO PARA IR A LA ESCUELA...

¡¿QUÉ QUIERES DECIR CON ESO?!

¡NO GRITES, FÉLIX! QUIERE DECIR QUE PUEDO QUEDARME CONTIGO UNOS AÑOS MÁS, ¿VALE?

VALE.
DE TODAS FORMAS, AQUÍ ME LO PASO MEJOR.

ES VERDAD QUE EN LA FERIA SE ESTÁ MUY BIEN, SOBRE TODO EN UN DÍA COMO HOY, PORQUE NO ABRIMOS HASTA LA SEMANA QUE VIENE Y SOLO ESTAMOS LOS EMPLEADOS.
ES LA ÉPOCA QUE MÁS ME GUSTA, PORQUE REALMENTE PARECE QUE VIAJAS ATRÁS EN EL TIEMPO.

HE ESTUDIADO EN CASA TODA LA VIDA. IR AL COLEGIO EN UNA FERIA MEDIEVAL ES BASTANTE DIVERTIDO.
EDUCACIÓN FÍSICA.
BIOLOGÍA.
EL CAMBIO SON DIECISIETE PENIQUES.
MATES
LENGUA
ONE... TWO... THREE!
INGLÉS.
¡Y TAMBIÉN HISTORIA, CLARO!

Casa de las Hadas
Dragones
... Y TANTAS MANUALIDADES COMO QUIERA EN LA TIENDA DE MAMÁ.

PERO ESTAR RODEADA DE MUÑECAS Y OSITOS Y CUENTOS DE HADAS TODO EL DÍA ME HACE SENTIR... COMO UNA NIÑA PEQUEÑA.

Y CUANDO TU ÚNICO COMPAÑERO DE CLASE ES UN ATONTADO DE SEIS AÑOS, ES UN ROLLO.

LE HE HECHO UNA BUFANDA A TIFFANY. ¿A QUE ES BONITA?

CREO QUE YA ES HORA DE CONOCER A NIÑOS QUE **NO** TIENEN UNA ARDILLA DE PELUCHE COMO MEJOR AMIGO.

YA LLEGA TU PADRE. VAMOS A CASA, ESTA NOCHE TENEMOS QUE TERMINAR ALGUNAS CORONAS.

FUERA DE LA FERIA,
NUESTRA VIDA ES NORMAL.
ADERÍA
Hogan's
FARMACI

DEJA ESO.
MOMO, VE A POR PAPEL HIGIÉNICO. EL QUE ESTÉ DE OFERTA.
Sugar BLAST

AUNQUE «NORMAL» ES ALGO RELATIVO, CLARO.
VOY A TENER UN BEBÉ.
PIZZA

AY, QUÉ MONO. ¿ES NIÑO O NIÑA?
¡ES UNA ARDILLA! SE LLAMA TIFFANY.

ME PREGUNTO CÓMO SERÁ ESTAR RODEADA DE **GENTE** NORMAL TODO EL DÍA.
¡OH, NO! ¡HE ROTO AGUAS! ¡EL BEBÉ VA A NACER **YA!**
PIZZA
ESPERO QUE ESA NIÑA NO VAYA A LA MISMA CLASE QUE YO...

VIVIMOS EN UN APARTAMENTO BASTANTE NORMAL...
SE ALQUILA

Cuidado Dragones
2B
MÁS O MENOS.

¡MAMÁ, VOY A GUARDAR LAS BOTAS!

MI HABITACIÓN ES BASTANTE NORMAL. ROPA PARA EL PRIMER DÍA: NORMAL. MOCHILA: NORMAL. LO TENGO TODO LISTO. CREO. ESPERO.
Feria
ME FALTAN POCOS DÍAS PARA AVERIGUARLO.

¡DEJAD QUE OS INVITE A COMER CON ESTE FLAMANTE BILLETE DE VEINTE DÓLARES, NUEVOS AMIGOS!
¡HE OÍDO QUE ES UN **CABALLERO!**
¡SÚPER!
¡GUAU, QUÉ BOTAS MÁS CHULAS!

CAPÍTULO DOS

Por supuesto, los caballeros no se dejan acobardar por el miedo a no ser popular u otras zarandajas. Así, nuestra heroína se olvida de esos temores y empieza su entrenamiento según el código de honor de los caballeros: honestidad, caballerosidad, valentía... y esgrima.

¡JA! ¡TOMAAAA!

¡JE, JE!

¡YAAAAA!

¡BUAAAAAAA!

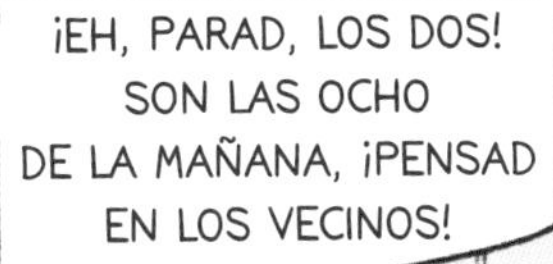
¡EH, PARAD, LOS DOS! SON LAS OCHO DE LA MAÑANA, ¡PENSAD EN LOS VECINOS!

¡LO HA HECHO A PROPÓSITO, ME HA ROTO LA ESPADA!

MOMO, ¿POR QUÉ ESTÁS SIEMPRE PROVOCÁNDOLO? FÉLIX, VETE A JUGAR CON LA CONSOLA. MOMO, BAJA ESTAS CAJAS AL COCHE, POR FAVOR.
¿Y POR QUÉ TENGO QUE SER **YO** QUIEN...?

¿SABÍAS QUE HAY MONSTRUOS MITOLÓGICOS QUE PUEDEN CONVERTIRTE EN PIEDRA CON SOLO MIRARTE?

VALE, VALE. ¡YA VOY!
¿QUÉ HAS DICHO?
ESTÁ MUY RESPONDONA, NO SÉ **QUÉ** LE PASA.

¡MAMÁ **ME HA DADO** UN ANILLO DE CARAMELO!
PUES MIRA QUÉ BIEN.

AYUDAMOS A LLEVAR LAS CAJAS A LA TIENDA.

VAMOS, MOMO. EL ENSAYO EMPIEZA EN DIEZ MINUTOS.
¡PÁSATELO BIEN TODO EL DÍA EN LA TIENDA, PERDEDOR!

EL DOMINGO ANTES DE ABRIR HAY UNA REUNIÓN CON TODOS LOS ACTORES. YA HABÍAN LLEGADO TODOS.

HAY MUCHAS FERIAS MEDIEVALES POR TODO EL PAÍS. HAY GENTE QUE NO SE MUEVE Y TRABAJA SOLO EN UNA, COMO MI FAMILIA. OTROS VAN DE FERIA EN FERIA, POR LO QUE SOLO LOS VEMOS UNA VEZ AL AÑO. ES COMO UNA GRAN REUNIÓN FAMILIAR CUANDO TODOS VUELVEN. MI FAMILIA DE LA FERIA.

¡PERO BUENO! ¿QUIÉN ES ESTA GIGANTA?
HOLA, OFENSIA.

OFENSIA ES COMO MI TERCERA ABUELA. AUNQUE ES MUCHO MÁS RARA QUE MIS DOS ABUELAS DE VERDAD.
ME ALEGRO DE VERTE, HUGO, ¡DRAGÓN APESTOSOS DE OJOS ENCEBOLLADOS!

¿YA LA ESTÁS LIANDO, OFENSIA? SON LAS NUEVE DE LA MAÑANA, DEMASIADO PRONTO PARA PELEARSE, ¡INCLUSO PARA **TI**!

¡HOLA, CAM! MOMO, ¡YA LLEGÓ TU NOVIO!
¡PAPÁ! **¡PARA!**
POR UN COMENTARIO QUE HACES A LOS SIETE AÑOS DICIENDO QUE DE MAYOR VAS A CASARTE CON CIERTA PERSONA Y YA SE CREEN CON DERECHO A RECORDÁRTELO PARA SIEMPRE.

¡MI SEÑORA GUILLERMINA! ¡CADA AÑO OS HACÉIS MÁS BELLA!

¿QUÉ TAL ESTÁS, FUTURA COMPAÑERA DE REPARTO? VEAMOS LO MUCHO QUE HAS ENSAYADO ESTE AÑO.
¡VALE!

CAM SIEMPRE ME DICE QUE CUANDO SEA MAYOR MONTAREMOS UN NÚMERO DE MALABARES Y ESGRIMA Y SALDREMOS DE GIRA POR LAS FERIAS DE TODO EL PAÍS. NO CREO QUE VAYAMOS A HACERLO **DE VERDAD...** PERO ESTÁ BIEN TENER UN PLAN B POR SI LO DE LA SECUNDARIA NO SALE BIEN.

¡MUY BIEN! AHORA EMPEZAREMOS A PRACTICAR CON **CUATRO** MANZANAS.

DAMAS Y CABALLEROS, PAYASOS Y BUFONES, SI ESTÁIS PREPARADOS, ¡EMPECEMOS!

¡SÍ, EMPIEZA YA, SAPO VIEJO Y VERRUGOSO!
JA JA JA JA JA JA
A OFENSIA LA LLAMAN ASÍ POR UN MOTIVO EVIDENTE.

¡BIENVENIDOS A LA VIGÉSIMA FERIA MEDIEVAL ANUAL DE FLORIDA!
¡HURRA!

PRIMERO, LA ORGANIZACIÓN: COMO TODOS LOS AÑOS, LA FERIA ABRE DE DIEZ A CINCO LOS FINES DE SEMANA DURANTE OCHO SEMANAS.

LA REINA SIGUIÓ DANDO LOS DETALLES. VI A MUCHOS CONOCIDOS DE OTROS AÑOS. AHÍ ESTÁN LOS MÚSICOS... LOS BUFONES... LAS AGUADORAS... EL CERVECERO... PAULO EL ADIESTRAGATOS... QUÉ BIEN VERLOS A TODOS DE NUEVO.

¡BIEN! Y AHORA, LO QUE TODOS ESTÁIS ESPERANDO: COMO YA SABÉIS, CADA AÑO ELEGIMOS UNA TEMÁTICA PARA TODA LA PROGRAMACIÓN, DESDE LA CEREMONIA INAUGURAL AL TORNEO DE AJEDREZ Y LA JUSTA.

ESTE AÑO, LA TEMÁTICA ES **SAN JORGE Y EL DRAGÓN.**

¡OS PRESENTO A NUESTROS ACTORES PRINCIPALES! EN EL PAPEL DEL ERMITAÑO QUE SALE DE SU CUEVA POR PRIMERA VEZ EN CUARENTA Y SIETE AÑOS PARA ADVERTIR AL PUEBLO... ¡OFENSIA!

A OFENSIA SUELEN DARLE LOS MEJORES PAPELES PORQUE ES GRACIOSÍSIMA.

EN EL PAPEL DEL MALVADO SEÑOR DE LOS DRAGONES... ¡SIR HUGO!

PAPÁ CASI SIEMPRE HACE DE MALO. ANTES ME PREGUNTABA POR QUÉ NUNCA LE DEJABAN HACER DE CABALLERO **BUENO,** PERO SUPONGO QUE YA ME HE ACOSTUMBRADO.

Y LA BELLA PRINCESA QUE SE SACRIFICA ANTE EL DRAGÓN POR EL BIEN DEL REINO SERÁ... ¡LADY VIOLETA!
VAYA, A ELLA NO LA HE VISTO NUNCA. DEBE DE SER NUEVA.

Y, PARA TERMINAR, ¿QUIÉN MEJOR PARA EL PAPEL DE SIR JORGE QUE...?

¡SOY **YO**, SIR JORGE, Y VOY A MATAR AL DRAGÓN!
CAM CASI SIEMPRE HACE DE HÉROE. ES GUAPO Y GRACIOSO Y SABE HACER MALABARES, ASÍ QUE TIENE EL PAPEL GARANTIZADO.

¿ESTÁS IMPRESIONADA?
¿IMPRESIONADA? ¿POR QUÉ? ¡SI AÚN NO HAS HECHO NADA! HE VISTO TRUCOS MÁS INTERESANTES EN EL CONCURSO DE PERROS DE SU MAJESTAD.

MUY BIEN, HASTA AQUÍ LA REUNIÓN. POR FAVOR, JUNTAOS CON VUESTROS GREMIOS PARA ENSAYAR.
MUÁ

BAH

¿VAMOS, MOMO?
SÍ. ¿ADÓNDE VAMOS PRIMERO?

YO ME VOY AL ENSAYO DE ESGRIMA. **TÚ ESTARÁS** CON OFENSIA.
¿AH, SÍ? PENSÉ QUE ESTARÍA CONTIGO TODO EL DÍA.

AHORA ERES UN ACTOR COMO LOS DEMÁS. TIENES TUS PROPIOS ENSAYOS Y HORARIOS.
AH.
ESTAR SOLA ERA ALGO INESPERADO, ¡PERO TAMBIÉN EMOCIONANTE!

OFENSIA TE LO EXPLICARÁ TODO. TE VERÉ POR LA TARDE EN EL ENSAYO DE LA JUSTA.

¡AY! EL PRIMER DÍA DE ENSAYOS. ¡UN DÍA GLORIOSO EN LA VIDA DE CUALQUIER JOVENCITA! VEN, PASA A MI DESPACHO.

ESTE SERÁ TU HORARIO LOS DÍAS DE FERIA. TENLO A MANO.
10:00 AM CEREMONIA DE APERTURA
10:30-11:30 AM CALLE
11:30 AM DESFILE DE MEDIODÍA
12:00 AM TORNEO DE AJEDREZ HUMANO
1:00-1:30 PM ALMUERZO
1:30-4:00 PM CALLE
4:00 PM JUSTA
5:00 PM CEREMONIA DE CIERRE

¿QUÉ SIGNIFICA «CALLE»?
YA LLEGAREMOS, NO TENGAS PRISA. VAS A HACER DE ESCUDERO, ¿VERDAD? ¿CUÁL DIRÍAS QUE ES EL TRABAJO MÁS IMPORTANTE DE UN ESCUDERO?

PUES... AYUDAR A MI CABALLERO EN COMBATE, LIMPIAR LA ARMADURA...

MAL. TU TAREA MÁS IMPORTANTE ES INTERACTUAR CON EL PÚBLICO.
¿CÓMO?

UNA PREGUNTA: ¿QUÉ ES LO QUE MÁS TE GUSTA DE LA FERIA?

PUES... QUE ES DIVERTIDO. PUEDO PASEARME Y HACER VER QUE ESTOY EN OTRA ÉPOCA. Y COMER COSAS RICAS, Y VER ESPECTÁCULOS, Y...

SÍ, «**HACER VER**». ESO, QUERIDA MÍA, ES «CALLE». ANDAR, HABLAR Y **VIVIR** COMO SI ESTUVIERAS EN UN PUEBLO MEDIEVAL. QUEREMOS QUE LOS VISITANTES SE SIENTAN TRANSPORTADOS A OTRA ÉPOCA PARA QUE PUEDAN OLVIDARSE DE LA VIDA REAL UN RATO.

VEN CONMIGO.

¡BUENOS DÍAS NOS DÉ DIOS, PANADERO! ¿PREGÚNTOME SI ESTA MAÑANA TENDRÁS PAN FRESCO, **SIN** ARENA NI PIEDRAS, A PODER SER? ¡CON EL QUE ME DISTEIS AYER CASI ME PARTO UN DIENTE!

PANADERÍA
¡ME SORPRENDE QUE, A TU EDAD, AÚN TENGAS DIENTES!

¡JA! DAD GRACIAS QUE ME ACOMPAÑA ESTA MOZA, ¡U OS LLAMARÍA GUSANO BILIOSO Y ATONTOLINADO!

¿LO VES? HAY QUE CONVENCER A LOS VISITANTES DE QUE SE ENCUENTRAN EN UN PUEBLO LLENO DE PERSONAJES INTERESANTES, Y HACER QUE PARTICIPEN.

QUE LOS VISITANTES SE SIENTAN **BIENVENIDOS,** MOMO, ESA ES TU TAREA PRINCIPAL.

PASAMOS EL RESTO DE LA MAÑANA POR LA CALLE. APRENDÍ A PROYECTAR LA VOZ, QUE QUIERE DECIR HABLAR **MUY ALTO** Y **MUY DRAMÁTICO**. ASÍ HACES QUE LA GENTE SE PARE A ESCUCHARTE SI ESTÁS HACIENDO UNA ESCENA.
¡QUÉ BUEN DÍA AMANECIÓ!
¡BUENOS DÍAS NOS DÉ DIOS!

HABLAMOS AL ESTILO ANTIGUO. APRENDÍ ALGUNAS FRASES ÚTILES PARA LOS VISITANTES.
LETRINAS
PORT-O-LET
¿NO TRAJISTEIS VUESTRO ORINAL DE CASA? NO PASA NADA, LAS LETRINAS ESTÁN AQUÍ.
SÍ, ESTO ES UN ARTILUGIO MÁGICO. ¡DE ESTA CAJA SALE PAPEL MONEDA! ¡DICEN QUE LA INVENTÓ EL MISMO MERLÍN!
CAJERO
ATM

¿ANDÁIS EN BUSCA DE VITUALLAS? EN CUALQUIERA DE ESTOS ESTABLECIMIENTOS ENCONTRARÁN BUEN YANTAR. ¡HACE CASI DOS SEMANAS QUE NO TENEMOS NINGÚN CASO DE DISENTERÍA!
Helado
PIZZA
PAVO Y POLLO

TAMBIÉN PRACTICAMOS INSULTOS ANTIGUOS.
¡HUELES COMO SI TE HUBIERAN UNTADO CON TOCINO!
¡TUS PEDOS CANTAN COMO SIRENAS!
¡TU NARIZÓN PARECE DE UNA GALERA EL ESPOLÓN!
¡ERES UN GAÑÁN CON LA BARRIGA ATESTADA DE AJOS!

¡MUY BIEN! AHORA QUE EL SOL MARCA ENTRE LAS DOCE Y LA UNA DEBEMOS REUNIRNOS CON LOS DEMÁS EN EL CAMPO DE JUSTAS.

¡SÍ!

ACTUAR EN LA CALLE ERA DIVERTIDO, PERO TENÍA MUCHAS GANAS DE QUE EMPEZARA LA JUSTA. SABÍA QUE NUNCA DEJARÍAN COMPETIR A UNA NIÑA DE DOCE AÑOS. ¡PERO A LO MEJOR PODRÍA PARTICIPAR EN EL **ESPECTÁCULO** DE ESGRIMA DEL FINAL!

¡AH! AQUÍ ESTÁ MI ESCUDERO. APRESÚRATE, AYÚDAME A ATAVIARME CON LA ARMADURA.

AYUDAR A PAPÁ CON SU ARMADURA SIEMPRE HA SIDO MI TAREA ESPECIAL. LO HAGO MEJOR QUE NADIE.

¿ESTÁS PREPARADA PARA ENTRENARTE CON LAS ARMAS ESPECIALES DE LA JUSTA? CIERRA LOS OJOS Y PON LAS MANOS...

¡¿ARMAS ESPECIALES?! A LO MEJOR, MUY A LO MEJOR...

¿PARA QUÉ ES **ESTO?**
ADIVINA.

BUENO, NO HACE FALTA QUE ADIVINES...
PARA ESO.
OH, VAYA...

MIS TAREAS EN LA JUSTA NO RESULTARON TAN GLAMUROSAS COMO ME HABÍA IMAGINADO.
PERO NO PERDÍA LA **ESPERANZA** CON LA PELEA DE ESPADACHINES DEL FINAL.

ESTE AÑO, LA PELEA DE ESPADACHINES SERÁ MÁS EMOCIONANTE QUE NUNCA. EL DRAGÓN DE MADERA ESTÁ HUECO POR DENTRO, Y CUANDO MI PADRE ME DÉ LA SEÑAL...
¡YA, ESCUDERO!
¡ZAS!
ABRO LA TRAMPILLA Y SALEN UN MONTÓN DE SOLDADOS.

¡Y EMPIEZA LA PELEA!
POR SUPUESTO, AL FINAL SIR JORGE DERROTA A MI PADRE, PORQUE EL BIEN SIEMPRE TRIUNFA SOBRE EL MAL.

¡Y CON ESTO CONCLUYE NUESTRO ENSAYO DE HOY! NOS VEMOS EL VIERNES PARA EL ENSAYO GENERAL. ¡FELIZ DÍA!

¿QUÉ? ¿CÓMO HA IDO?
¡MUY BIEN! ¡CREO QUE MEJOR QUE NUNCA!

PERO... ¿SABES CÓMO CREO QUE PODRÍA MEJORARSE EL ESPECTÁCULO Y HACERLO DEL TODO INOLVIDABLE?

BUEN INTENTO, MOMO.
¡ENSAYARÉ **MUCHÍSIMO! ¡SÉ** QUE PUEDO PARTICIPAR EN EL COMBATE! ADEMÁS, UNA NIÑA MANEJANDO LA ESPADA GUSTARÍA MUCHO AL PÚBLICO, ¡SERÍA ALGO NOVEDOSO!

BUENO, YA VEREMOS.
EN IDIOMA DE PADRES, ESO SIGNIFICA QUE NO.

¡VAMOS, ANÍMATE, MOMO! YA LO VEREMOS. MIRA, TU MADRE Y TU HERMANO AÚN TARDARÁN UN POCO EN LLEGAR. VAMOS A PRACTICAR UN RATO.
¿EN SERIO?

POR CANSADO QUE ESTÉ, MI PADRE SIEMPRE TIENE TIEMPO PARA ENTRENAR CONMIGO.
TENEMOS UNA COREOGRAFÍA ESPECIAL QUE LLEVAMOS AÑOS PERFECCIONANDO. COMO SOY MÁS PEQUEÑA, UTILIZAMOS MI RAPIDEZ Y AGILIDAD EN MI BENEFICIO.

¡ES BUENÍSIMA!
¡HURRA!

AYUDA A TU VIEJO A LEVANTARSE, MOMO.

AHORA, UNA REVERENCIA...

Y... **¡HUÉLEME EL SOBACO!**
¡AAGH! ¡MALTRATO INFANTIL! ¡TENGO TESTIGOS!

AH, SÍ, TIENES RAZÓN. RECOGE TUS COSAS Y VÁMONOS A CASA.

LOS DÍAS SIGUIENTES FUERON BASTANTE NORMALES. ME QUEDÉ EN CASA Y AYUDÉ A MAMÁ A HACER CORONAS DE FLORES.

Y ME PUSE NERVIOSA.

REVISÉ MI ROPA PARA LA ESCUELA.

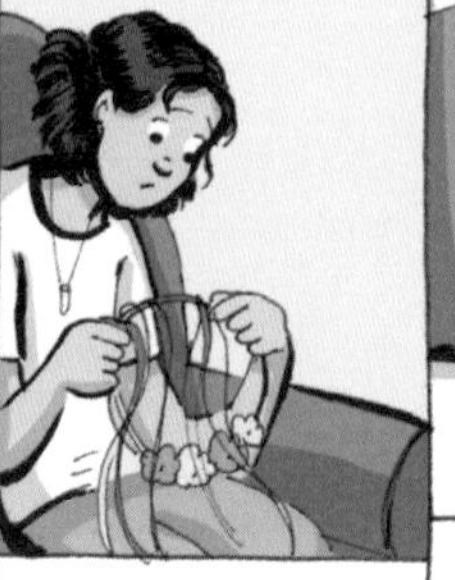
ME PUSE MÁS NERVIOSA.

REVISÉ MI ROPA.

EL MARTES POR LA TARDE, YA ESTABA DE LOS NERVIOS.
DENTRO DE EXACTAMENTE QUINCE HORAS SERÁN LAS OCHO, ¡Y EMPEZARÉ LA SECUNDARIA! DENTRO DE VEINTICUATRO HORAS YA HABRÉ TERMINADO MI **PRIMER DÍA.** AY, AY, AY, AY...

¿MOMO? ESTO...
CREO QUE YA HAS PUESTO SUFICIENTES CINTAS.

¿POR QUÉ NO DESCANSAS UN POCO? LOS DEMÁS LLEGARÁN PRONTO.
AH, VALE.

PUEDO APROVECHAR PARA...
Coronas
... VOLVER A REVISAR LA ROPA.

AL DÍA SIGUIENTE, TODA MI VIDA CAMBIARÍA. ME PARECÍA RARO QUE TODO EL MUNDO SE COMPORTARA CON NORMALIDAD.
DING DONG
AL MENOS ESTA NOCHE ME DISTRAERÉ UN POCO.

EN TEMPORADA DE FERIA, VIENE MUCHA GENTE A CASA. SUPONGO QUE CUANDO VIVES EN UNA **CARAVANA,** HASTA COMPARTIR UN BAÑO CON FÉLIX PUEDE PARECER UN LUJO.
HOLA, MOMO, ¿QUÉ TAL?

TENER TANTOS INVITADOS ES DE LO MEJOR DE LA FERIA...
¡TOC, TOC!

... CASI SIEMPRE.

¡ADELANTE, ADELANTE!
¡UFF!

OFENSIA, ¿HAS VISTO A GUILLERMINA? NO LA ENCUENTRO.

SIT
¡AAAGH! ¡QUITA!
CAM ME HACE LA MISMA BROMA DESDE QUE YO TENÍA SIETE AÑOS... PERO NO ME MOLESTA.

¡CAM! ¡CAM! ¡MIRA CÓMO JUEGO A LA CONSOLA!
CLINC

PERDONA, AYER NO ME PRESENTÉ, GUILLERMINA. CAM ME HA HABLADO MUCHO DE TI. ME LLAMO VIOLETA.
AH, HOLA.

¡ME HAN DICHO QUE MAÑANA EMPIEZAS LA SECUNDARIA! ¿ESTÁS NERVIOSA?
BUENO, UN POCO.
¿POR QUÉ TENÍA QUE SACAR EL TEMA? AHORA QUE HABÍA CONSEGUIDO OLVIDARME...

MOMO, SACA LOS PLATOS Y LAS SERVILLETAS DE PAPEL, TU PADRE LLEGARÁ ENSEGUIDA.
GRRRRR

¡BUENO, VIOLETA! ¡CUÉNTANOS CÓMO OS CONOCISTEIS!

PUES... NOS CONOCIMOS EN LA FERIA DE OHIO EN VERANO, Y ME CONVENCIÓ PARA QUE LO ACOMPAÑARA A ARIZONA Y... ¡NOS HEMOS VUELTO INSEPARABLES!

ESO ES, INSEPARABLES.
MUÁ

PUAJJJ

NO SÉ POR QUÉ ME MOLESTABA TANTO QUE CAM ESTUVIERA TAN ACARAMELADO. NO ES QUE ESPERARA CASARME CON ÉL **DE VERDAD.** PERO ¿HACÍA FALTA QUE ESTUVIERAN **TODO EL RATO** DE BESUQUEO? ¡QUÉ ASCO!

¡AQUÍ ESTOY!
¡PIZZA!

UN «¡BIENVENIDO, PAPÁ!» ME GUSTARÍA MÁS.
PIZZA RECIEN HECHA

PAPÁ ESTÁ GRUÑÓN LOS DÍAS QUE TRABAJA EN SU OTRO EMPLEO. CUANDO NO HACE DE CABALLERO, ES VENDEDOR EN UNA EMPRESA MUY CUTRE DE PISCINAS.

¿HAS VENDIDO MUCHOS JACUZZIS A MILLONARIOS HOY?

NO, PERO HE VENDIDO TABLETAS DE CLORO A LA RESIDENCIA DE ANCIANOS, ALGO ES ALGO.

¡BRINDEMOS! ¡POR VOLVER A ESTAR TODOS JUNTOS!

SÉ QUE SOY NUEVA, PERO QUIERO DAROS LAS GRACIAS POR DARME LA BIENVENIDA. ME GUSTARÍA PROPONER UN BRINDIS... ¡POR GUILLERMINA! POR EL CAPÍTULO NUEVO Y EMOCIONANTE DE TU VIDA QUE EMPIEZAS MAÑANA.
¡YA **VUELVE** A SACAR EL TEMA!

TE HE TRAÍDO UN REGALO. YO LO PASÉ MAL EN SECUNDARIA, ME AYUDÓ PODER ESCRIBIR MIS PENSAMIENTOS EN ALGÚN SITIO.

PUEDES ESCRIBIR SOBRE TODOS TUS NOVIOS.
JA, JA.

¡ES PRECIOSO, VIOLETA! MOMO, ¿QUÉ SE DICE?
¡GRACIAS!
ODIABA ADMITIRLO, PERO ERA UN **DIARIO** PRECIOSO, ¡SOLO PARA MÍ! ¡Y OLÍA GENIAL!

¿POR QUÉ SIEMPRE ES TODO PARA MOMO?

¡TAMBIÉN TRAIGO UN REGALO PARA TI! LE HE TRAÍDO UNAS BELLOTAS A TIFFANY.
¡ÑAM, ÑAM, ÑAM!

¿POR QUÉ LO PASASTE MAL EN SECUNDARIA?
BUENO...

ASÍ EMPEZÓ UNA GRAN DISCUSIÓN SOBRE...
ACOSADORES.
NIÑOS CRUELES.
GRUPITOS.
PELEAS.

CAM DEBIÓ DE VER MI CARA DE TERROR, PORQUE...
¡OYE, MO! VAMOS A PRACTICAR CON LA CUARTA PELOTA.

¡UF!

LOS MALABARES CON TRES PELOTAS SE ME DAN MUY BIEN, PERO EN CUANTO CAM ME LANZABA LA CUARTA...

¡ARRRGH!
NO TE PREOCUPES, TE QUEDAN ALGUNOS AÑOS ANTES DE QUE SALGAMOS DE GIRA CON NUESTRO ESPECTÁCULO.

ENTONCES LLEGÓ MI PARTE PREFERIDA DE LAS CENAS CON LOS DE LA FERIA.
¿TENÉIS TODOS BEBIDA?

FÉLIX, PÁSAME LOS DADOS, POR FAVOR.

¿PUEDO JUGAR, PAPÁ?
NO SÉ, MOMO. ¿NO TIENES CLASE MAÑANA? ¿NO TENDRÍAS QUE IR A LA CAMA PRONTO Y ESAS COSAS?
AY, MÍRALO, ¡QUÉ PADRE MÁS RESPONSABLE!

ACABÉ TUMBADA EN EL SOFÁ CON FÉLIX. MIRAR ES TAN DIVERTIDO COMO JUGAR. SI NUNCA HAS JUGADO A ROL, TIENES QUE SABER QUE ES COMO ESTAR EN UNA OBRA DE TEATRO. Y COMO AQUÍ CASI TODOS LOS JUGADORES SON ACTORES, ES COMO SI ESTUVIERAS VIENDO UNA PELI DE ACCIÓN MUY EMOCIONANTE. ¡Y ES AÚN MEJOR!

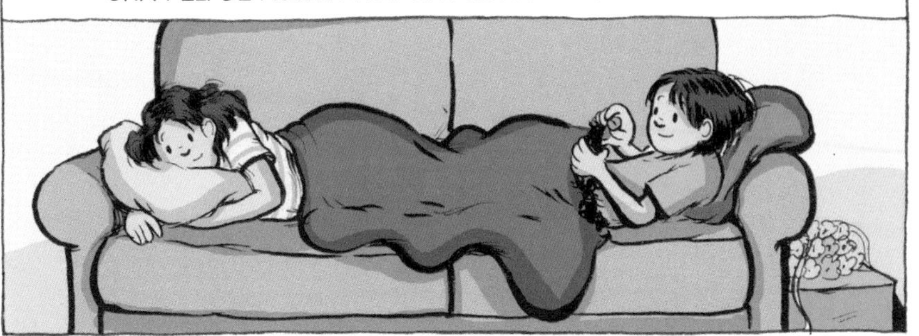

ASÍ QUE NUESTRA BANDA DE ALEGRES BRIBONES ESTÁ A PUNTO DE EMPRENDER SU VIAJE POR UN BOSQUE ESPESO Y OSCURO...
AUNQUE NO JUEGUE, ME IMAGINO QUE SOY UN ELFO Y FORMO PARTE DE LA AVENTURA. EN EL JUEGO, SOY RÁPIDA, ASTUTA Y VALIENTE, Y VIAJAR HACIA LO DESCONOCIDO NO ME ASUSTA.
SOY INVENCIBLE.

A SECUNDARIA

CAPÍTULO TRES

Después de meses de preparativos, que incluyen una cuidadosa selección de atuendo y la triple comprobación del material escolar, la joven Guillermina se dispone a emprender su viaje hacia lo desconocido. Como todos los exploradores que la precedieron, nuestra protagonista solo piensa en una cosa...

¡NO PUEDO
HACERLO!

PAPÁ DEBIÓ DE METERME EN LA CAMA ANOCHE. SI ME QUEDO MUY QUIETA, QUIZÁ NADIE SE ACUERDE DE QUE TENGO QUE...
¿GUILLERMINA? ¡ARRIBA!
¡JO!

¡AY, MOMO, MENUDA AVENTURA! ADMIRO MUCHO LO VALIENTE QUE ERES.

NO SOY VALIENTE. ESTOY **ATERRORIZADA.**

CUANDO ME VESTÍA SENTÍA GANAS DE VOMITAR.

PARECE QUE TODO EL MUNDO SE QUEDÓ A DORMIR.
PUES... ME VOY. ADIÓS.

¡ADIÓS, MUCHACHA! ¡ADIÓS, MUCHAAAAACHA!
¡FÉLIX, FÉLIX! ¡MI CABEZA! ¡NO TAN FUERTE!

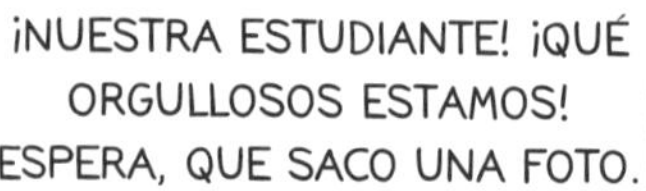
¡NUESTRA ESTUDIANTE! ¡QUÉ ORGULLOSOS ESTAMOS! ESPERA, QUE SACO UNA FOTO.

¡CLIC!

¿QUIERES QUE TE ACOMPAÑEMOS A LA PARADA DE AUTOBÚS?
NOOO... ESTARÉ BIEN.

¡NO QUIERO QUE SE VAYAAAA! **¡BUAAAAAA!**

CARIÑO, ¡VOLVERÁ EN UNAS POCAS HORAS!

DE REPENTE TUVE GANAS DE LLORAR. DESEÉ PODER QUEDARME EN CASA COMIENDO GALLETAS. HASTA ECHARÍA DE MENOS A FÉLIX.

MÁS VALE QUE TE VAYAS ANTES DE QUE LAS COSAS SE PONGAN FEAS. RECUERDA TU ENTRENAMIENTO. CABALLEROSIDAD. HONESTIDAD. VALENTÍA. PUEDES HACERLO.

BUENO, VAMOS ALLÁ...

SE ALQUILA

PARADA
BUS
ESCOLAR

PARADA
BUS
ESCOLAR

POR LO QUE TODO EL MUNDO CONTABA ANOCHE, EL BUS ES UN ESCENARIO TÍPICO DE ACOSO ESCOLAR. PERO EL VIAJE AL COLEGIO FUE SORPRENDENTEMENTE TRANQUILO.

«TRANQUILO» QUIERE DECIR QUE NADIE ME MOLESTÓ, NO QUE FUERA SILENCIOSO.

ENTONCES LLEGAMOS A LA ESCUELA SECUNDARIA.

ES SHORES
ME SENTÍA MUY EXTRAÑA Y FUERA DE MÍ, COMO SI ME VIERA POR TELEVISIÓN. NO PODÍA CREER QUE ESTUVIERA ALLÍ DE VERDAD. EN LA **ESCUELA.**

CREÍA SABER A DÓNDE IR POR LA VISITA QUE HICIMOS HACE ALGUNAS SEMANAS...

PERO, CON TANTA GENTE, TODO PARECÍA DISTINTO.

PERDONE, ¿ES USTED UN PROFESOR?

JA, JA, ¡SÍ, SOY UN PROFESOR! ¡CASTIGADA POR MOLESTARME!
¡¿CÓMO?!
PERO BUENO, JEREMY, ¡QUÉ MALO ERES!

A CLASE YA MISMO, SEÑOR CARR.

NIÑA, ¿TE HAS PERDIDO? ESTE NO ES EL PASILLO DE TU CURSO. SUPONGO QUE ERES NUEVA.
¿CÓMO LO SABÍA?

UNA VEZ EN EL PASILLO ADECUADO, ENCONTRÉ LA TAQUILLA Y LA ABRÍ SIN PROBLEMAS...

18 24 12
... AL QUINTO INTENTO.

CONSEGUÍ LLEGAR A TIEMPO A MI PRIMERA CLASE.

ELEGÍ MI ASIENTO.
EE.UU.
NI MUY AL FONDO PARA NO SER UNA «REVOLTOSA» NI EN PRIMERA FILA PARA NO SER UNA «LISTILLA».

ME SENTÍ COMO UN FANTASMA TODA LA MAÑANA, COMO SI FLOTARA DE CLASE EN CLASE. EL RESTO DE NIÑOS PARECÍAN CONOCERSE DE ANTES. NADIE ME DIRIGIÓ LA PALABRA.

RESULTA QUE TODOS LOS PROFESORES HACÍAN LO MISMO EL PRIMER DÍA DE CLASE.
PASAR LISTA.
ÁLVAREZ, DIANA.
PRESENTARSE.
Miss Miss
I AM MISS SOSA!
SENTARNOS EN ORDEN ALFABÉTICO.
ÁLVAREZ, DIANA.
REPARTIR LIBROS POLVORIENTOS.
Pre-Algebra
PLONC

APRENDÍ OTRAS COSAS, COMO QUE LOS LIBROS DE TEXTO PESAN MUCHO…
… QUE EN LAS AULAS HACE FRÍO…
… Y QUE PARA LA HORA DE COMER ESTABA MUERTA DE HAMBRE.
ROARRR

A LA CUARTA HORA, YA SABÍA MÁS O MENOS CÓMO IBA TODO.

AULA 213... 213...

¡VAYA!
¡TENÍA QUE SENTARME CON ALGUIEN!

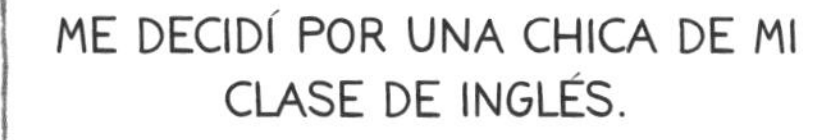
ME DECIDÍ POR UNA CHICA DE MI CLASE DE INGLÉS.

HOLA. ¿PUEDO SENTARME?
BUENO, VALE.

VAYA, QUÉ BOTAS MÁS CHULAS. ¿DE DÓNDE SON?
¡AH! PUES SON HECHAS A MANO.

¡BOTAS DE ARTESANÍA, ES SÚPER!
¡EH! ¡PAULA! ¡AQUÍ, SIÉNTATE CONMIGO!

¿TE IMPORTA? ES MI **MEJOR** AMIGA.
AH... VALE.

MUCHÍSIMAS GRACIAS, ERES **SUPERMAJA.**
¡HOLIIIIII!

SI TAN **SUPERMAJA** SOY, ¿POR QUÉ NO QUIERE SENTARSE CONMIGO?
PLIC

VAYA, PABLO, ¿ES ESA TU NOVIA?
¿NOVIA? ¡SI NI LA **CONOZCO!**

¡VAYA! ¿QUIÉN ERES? ¿A QUÉ ESCUELA PRIMARIA FUISTE?
A NINGUNA. ESTUDIABA EN CASA.

¿ESO ES LEGAL?
¿CUÁNTO ES 4+4?
¿SABES LEER?

SÍ SÉ LEER, Y DELETREAR TAMBIÉN. MIRAD: I-D-I-O-T-A.
¡TOOOMAAAA! ¡JA, JA! ¡UN PUNTO PARA LA RARITA!

EL CABALLERO DE LA CAMISETA AZUL, Y LA SEÑORITA DE LA CAMISETA MORADA. SI YA HABÉIS TERMINADO DE COQUETEAR...
¡TOOOOMAAAA! ¡JI, JI, JI!

... PODEMOS EMPEZAR. SI LOGRÁIS CONTENER VUESTRAS HORMONAS, A LO MEJOR APRENDEMOS ALGO DE CIENCIA ESTE CURSO.

SOY EL **DOCTOR** RODRÍGUEZ. NADA DE **SEÑOR** RODRÍGUEZ. NO FUI OCHO AÑOS A LA UNIVERSIDAD PARA QUE ME LLAMEN **SEÑOR** RODRÍGUEZ.

TÚ, LA DE PRIMERA FILA. ¿CÓMO TE LLAMAS?
ANITA.
ANITA, TOMA LOS LIBROS Y REPÁRTELOS.

LA CLASE DE CIENCIAS FUE MÁS O MENOS COMO LAS DEMÁS... PERO EL DOCTOR RODRÍGUEZ PARECÍA MUCHO MÁS ESTRICTO QUE LOS OTROS PROFES.
EN ESTA CLASE HABRÁ UN EXAMEN CADA SEMANA. SI SACÁIS MENOS DE UN APROBADO, OS LO TENDRÁ QUE FIRMAR UN ADULTO.

¡RRRIIINNG!
YA NO ESTÁIS EN PRIMARIA. SALID DE LA CLASE **EN SILENCIO** E ID AL AULA POLIVALENTE.

¡PABLO Y LA RARITA, SE DAN LA MANO Y SE B-E-S...
COMO SABÍA DELETREAR, YA SABÍA LO QUE VENÍA AHORA.

Y PARA COLMO DE MALES, LLEGÓ LA PARTE DEL DÍA QUE MÁS MIEDO ME DABA...

EL ALMUERZO.

¿CON QUIÉN TENÍA QUE SENTARME? ERA COMO UNA PESADILLA HECHA REALIDAD.

ERA PEOR QUE ESTAR EN LO MÁS HONDO DE UN POZO RODEADA DE TROLS Y LOMBRICES...
¿GUILLERMINA?

TE LLAMAS GUILLERMINA, ¿VERDAD? ¿DE LA CLASE DE CIENCIA? ¡SIÉNTATE CON NOSOTROS!

RAAAS
CREO QUE UNO DE LOS SENTIMIENTOS MÁS BONITOS DEL MUNDO ES CUANDO ALGUIEN SE APARTA PARA HACERTE SITIO.

ME LLAMO CLARA, Y ELLAS SON DIANA Y PAULA.
HE PENSADO QUE NO CONOCERÍAS A NADIE PORQUE NUNCA HAS IDO A LA ESCUELA.

¿TE **EDUCABAN EN CASA?** ¿ES PORQUE TUS PADRES SON SÚPERRELIGIOSOS O ALGO?

NOOO... NOS EDUCARON EN CASA PORQUE... PORQUE...

... NO ESTABAN DE ACUERDO CON EL PLAN DE EDUCACIÓN.
AH. QUÉ ROLLO.
PENSÉ QUE, COMO SOLO HACÍA 8,3 SEGUNDOS QUE LAS CONOCÍA, AÚN NO ERA EL MOMENTO DE CONTARLES QUE MIS PADRES TRABAJABAN EN LA FERIA MEDIEVAL Y NO ERA UNA INFORMACIÓN APTA PARA TODOS LOS PÚBLICOS.

¡PABLO! ¡ES TU NOVIAAA! ¿NO QUIERES COMPARTIR LAS PATATAS CON ELLA, O ALGO?

CÁLLATE. ANTES QUE NADA, GUILLERMINA, TIENES QUE SABER QUE ESOS CHICOS SON IDIOTAS. NO LES HAGAS CASO.
IDIOTAS. VALE.

POR FIN ME RELAJÉ UN POCO MIENTRAS LOS DEMÁS SE REÍAN Y HABLABAN A MI ALREDEDOR. ¿ERA POSIBLE? ¡¿DE VERDAD ESTABA HACIENDO... **AMIGOS?!**

EL RESTO DEL DÍA PASÓ BASTANTE RÁPIDO.
TUVE TRES CLASES MÁS DESPUÉS DE COMER.

LENGUA.
¡AL MENOS ESTE LIBRO ES DELGADO!
ARTE.
¡BIEN! ¡NO HAY LIBRO DE TEXTO!
Y EDUCACIÓN FÍSICA.

AL PARECER, «EDUCACIÓN FÍSICA» SIGNIFICABA «DAR VUELTAS DESPACITO DURANTE CUARENTA MINUTOS». NADIE SE FIJÓ EN QUE YO LLEVABA BOTAS.

¿SABES CUANDO PASAN DÍAS SIN QUE SUCEDA NADA NUEVO O INTERESANTE... PERO LUEGO HAY DÍAS EN LOS QUE PASAN TANTAS COSAS QUE PARECE INCREÍBLE QUE PASARA TODO EN UN SOLO DÍA?

¡HASTA MAÑANA, GUILLERMINA!
AY, SÍ, ¡MAÑANA TENGO QUE VOLVER A HACER LO MISMO OTRA VEZ!

¡YA ESTOY EN CASA!
POR FIN, SENTÍA QUE PODÍA VOLVER A RESPIRAR TRANQUILA.

¡TE HEMOS HECHO GALLETAS! ¡QUÉ HAMBRE! GALLEEEETAS. ¡ÑAM, ÑAM, ÑAM, ÑAM!

BUENO, ¿CÓMO HA IDO? ¡CUÉNTANOSLO TODO!
PUES...
BIEN.

EL RESTO DE LA SEMANA FUE BASTANTE BIEN. CLARA Y SUS AMIGAS ERAN SIMPÁTICAS. ¡HASTA ME INVITÓ A SU FIESTA DE CUMPLEAÑOS, QUE SERÍA EN UNAS SEMANAS!
MI MADRE TIENE QUE IMPRIMIR LAS INVITACIONES, PERO **ANTES** TENGO QUE DECIDIR DÓNDE QUIERO DAR LA FIESTA. PENSÉ EN EL PARQUE ACUÁTICO, PERO ALLÍ FUE MI FIESTA DEL AÑO **PASADO,** ASÍ QUE...

¡SÍ, SÍ!
¡ME INVITAN A UNA FIESTA!

PABLO Y SUS AMIGOS ERAN **MUY** PESADOS, PERO TAMBIÉN GRACIOSOS.

Y NADIE SE HABÍA METIDO CONMIGO... TODAVÍA.
TOMO NOTA: NADA DE MOCHILAS CON RUEDAS.

LA MAYORÍA DE PROFES ERAN MAJOS, EXCEPTO YA SABES QUIÉN.
LA LETRA DE ESTE CUADERNO DE LABORATORIO ES TAN TERRIBLE QUE NO PUEDO LEERLA.
¡EH!

LA VERDAD ES QUE LA PRIMERA SEMANA SE ME PASÓ VOLANDO. EL VIERNES LLEGÓ ENSEGUIDA, Y CON ÉL...

¡EL ENSAYO GENERAL!

MI PRIMER DÍA COMO ESCUDERO NO FUE EXACTAMENTE EL MEJOR DE MI VIDA, PERO EL ENSAYO GENERAL ERA MUY EMOCIONANTE. CADA AÑO, MI MADRE NOS HACÍA A TODOS UN DISFRAZ NUEVO. Y NO NOS DEJABA VERLO HASTA EL DÍA DEL ENSAYO.

Momo
Félix

¿PODEMOS ABRIRLOS YA?
CLARO. PERO LEVANTA A TU HERMANO PRIMERO.

A FÉLIX NO LE HACEN MUCHA GRACIA LAS MAÑANAS. HACE FALTA MANO IZQUIERDA PARA DESPERTARLO.

Félix
No Pasar

¡¡ARRIBA!!

¡HECHO!
TSK.

EL AÑO PASADO FÉLIX LO ABRIÓ PRIMERO. MOMO, TE TOCA A TI.
¡YUPIII!

¡AH! ¡¡ME ENCANTA!!

MI JUBÓN TENÍA EL ESCUDO FAMILIAR EN EL PECHO, QUE INDICABA EL CABALLERO PARA EL QUE TRABAJABA.

¡ME TOCA! ¡ME TOCA!
ZASSS

SON...
¡IGUALES!

ES QUE FÉLIX SE HA PUESTO UN POCO CELOSO PORQUE TODOS TE HACEN MUCHO CASO CON LO DE SER ESCUDERO Y LA ESCUELA. YA SABES QUE SIEMPRE QUIERE IMITARTE, Y PENSÉ QUE IR VESTIDO IGUAL QUE TÚ LO ANIMARÍA.
ERA BONITO QUE FÉLIX QUISIERA PARECERSE A MÍ, SUPONGO. PERO ¿ERA NECESARIO QUE NUESTROS DISFRACES FUERAN **IDÉNTICOS?**

¡AHORA SOMOS **GEMELOS,** MOMO!

¡Y AQUÍ TENÉIS EL JUBÓN DE PAPÁ Y MI CORPIÑO! ¡TODA LA FAMILIA APOYARÁ A NUESTROS CABALLERO Y ESCUDERO!

¿MOMO? ¿QUÉ LE DICES A TU MADRE? ANOCHE ESTUVO TRABAJANDO HASTA MUY TARDE PARA TERMINAR LOS DISFRACES.

GRACIAS, MAMÁ. SON PRECIOSOS. ME ENCANTAN.

VOY A PREPARARME PARA LA ESCUELA.

HACE TIEMPO, MI MADRE NOS HIZO VER UN PROGRAMA DE TELEVISIÓN QUE SE VE QUE ERA «SÚPER» HACE MUCHOS AÑOS. Y, POR ALGÚN MOTIVO, LOS DISFRACES A JUEGO ME LO RECORDARON...

Y EN EL COLEGIO... MÁS DE LO MISMO. YA NO ESTABA TAN NERVIOSA COMO EL PRIMER DÍA, PERO TAMPOCO ME SENTÍA DEL TODO CÓMODA.

CLARA Y SUS AMIGAS ERAN SIMPÁTICAS, PERO, A VECES, NO SABÍA QUÉ DECIRLES. TENÍA MIEDO DE DECIR ALGUNA TONTERÍA QUE HICIERA QUE PENSARAN QUE YO ERA UNA RARITA Y NO QUISIERAN ESTAR CONMIGO.

¡TIERRA LLAMANDO A GUILLERMINA! TE **PREGUNTABA** CUÁL ES TU TIENDA PREFERIDA DEL CENTRO COMERCIAL.
¿CÓMO? AH, PUES... ¿EL... PALACIO DE LA PIZZA?

AY, POR FAVOR, GUILLERMINA, **QUÉ** GRACIOSA. ERES DE LO QUE NO HAY, ¿LO SABÍAS?
JA, JA... ¿JA?

FUE UN ALIVIO TERMINAR MI PRIMERA SEMANA. POR FIN LLEGABA EL FIN DE SEMANA. YA NO TENÍA QUE PREOCUPARME POR EL INSTITUTO... LOS PROFESORES... O MIS AMIGAS.

¿ESE ES TU COCHE? ¿ESE CACHARRO?
ESTO... SÍ. BUENO, ¡HASTA EL LUNES!

ES VERDAD QUE NUESTRO COCHE **ESTÁ** BASTANTE VIEJO.

POR FIN PODRÍA DEJAR DE PREOCUPARME UN RATO.
¡ERA EL FIN DE SEMANA INAUGURAL DE LA FERIA, AL FIN Y AL CABO!
LA FERIA ES MEJOR QUE LA NAVIDAD Y QUE MI CUMPLEAÑOS. ES LO QUE MÁS ILUSIÓN ME HACE DE TODO EL AÑO.
¡BIENVENIDOS! ¡MI SEÑORA! ¡MI SEÑOR!
Y ESTE AÑO...
FRASS
Solo personal
FRASS
¡POR FIN SOY UN ESCUDERO DEL REINO!
... AUNQUE ESO SIGNIFIQUE RECOGER CACA DE CABALLO.

EN EL ENSAYO GENERAL SE REPASAN LOS ACONTECIMIENTOS PRINCIPALES: LA JUSTA Y EL TORNEO DE AJEDREZ HUMANO.

NO TENGO MUCHO QUE HACER EN EL TORNEO DE AJEDREZ, SOY SOLO UN PEÓN DEL EQUIPO DE MI PADRE, PERO PUEDO VER TODAS LAS BATALLAS DESDE PRIMERA FILA.

LA NOCHE ANTES DE LA INAUGURACIÓN, SIEMPRE HAY UNA GRAN FIESTA EN LA ZONA DE ACAMPADA.

HAY MÚSICA, DANZA ORIENTAL, MALABARES, Y LA COMIDA MÁS DELICIOSA QUE TE PUEDAS IMAGINAR.

INCLUSO FÉLIX ESTABA MENOS PESADO DE LO NORMAL.

¿PUEDO SUBIR?

YO ESTABA DE MUY BUEN HUMOR, ASÍ QUE...
CLARO.

ESTABA **UN POCO** NERVIOSA POR MI PRIMER DÍA COMO ESCUDERO... PERO NADA QUE VER CON MI PRIMER DÍA DE ESCUELA.
AQUÍ, AL MENOS, SABÍA QUE ESTABA EN **CASA.**

CAPÍTULO CUATRO

Una gran alegría recorre el reino, ¡pues hoy es un día de fiesta! ¡Alegría! ¡Albricias! ¡Regocijo! Esto... a pesar de los rumores de un dragón que amenaza el pueblo. Atención, la Reina en persona abrirá las puertas de la ciudad para la celebración...

¡DAMAS Y CABALLEROS, BIENVENIDOS! YO, LA REINA, ¡DECLARO QUE HOY ES UN DÍA DE FIESTA! TRAS ESTAS PUERTAS ENCONTRARÉIS MÚSICA, ARTESANÍA, BUENA COMIDA Y EL MEJOR HIDROMIEL DEL REINO. OS LO RUEGO: BEBED, COMED Y SED FELICES.
FERIA MEDIEVAL DE OTOÑO
¡HURRA!
¡HURRA!

¿ESTÁS NERVIOSA?
MMM... UN POQUITO.

¡MAJESTAD! ¡MAJESTAD!
¿SÍ, ERMITAÑA? ¿QUÉ SUCEDE?

MAJESTAD, OS LO SUPLICO, **¡NO ABRÁIS LAS PUERTAS!** HE SALIDO DE MI CUEVA POR PRIMERA VEZ EN CUARENTA Y SIETE AÑOS, Y... AY, DIOS MÍO, SÍ QUE HA CAMBIADO LA MODA.
¡Id con Dios!
HA
HA!

¿POR DÓNDE IBA...? AH, SÍ. ¡MAJESTAD, TRAIGO PRESAGIOS DE UN GRAVE PELIGRO PARA ESTE PUEBLO Y TODOS SUS CIUDADANOS! ¡UN **PELIGRO** MORTAL!

¿Y CUÁL ES EL «GRAVE PELIGRO» DEL QUE HABLAS?

ES...
UN **DRAGÓN.**
SANTO CIELO, ERMITAÑA, MENUDO SUSTO. TODO EL MUNDO SABE QUE LOS **DRAGONES** NO EXISTEN.

¡¿QUE LOS DRAGONES NO EXISTEN?! PERO... SI AHÍ VEO UN HADA. Y UN OGRO. Y... ESE NO SÉ **QUÉ** ES.
¡JA!
¡JA!

ERMITAÑA, NO SEAS NECIA. ¿NO SABES QUE ME PROTEGEN LOS CABALLEROS MÁS VALIENTES DEL REINO? SIR JORGE, ¿QUÉ DECÍS DE ESTE ASUNTO DEL DRAGÓN?

MAJESTAD, SI CUALQUIER CRIATURA AMENAZARA ESTE REINO, ¡NO TEMÁIS PORQUE YO LA DESTRUIRÉ!

MAJESTAD, YO TAMBIÉN OS OFREZCO HUMILDEMENTE MIS SERVICIOS. MI LEAL ESCUDERO Y YO OS DAMOS NUESTRA PALABRA DE HONOR.

¡NO OS FIEIS DE SIR HUGO, MI SEÑORA! ¿NO LO **EXPULSASTEIS** DEL REINO POR COMERCIAR CON... CON... DRAGONES?

DRAGONES, QUÉ ZARANDAJA. YA BASTA. NO DEMOREMOS MÁS EL FESTIVAL. QUERIDOS SÚBDITOS, BIENVENIDOS A MI REINO. NO TEMÁIS, ¡SED FELICES! ¡HURRA!

¡MUY BIEN, MOMO! TU PRIMERA ACTUACIÓN PROFESIONAL EN EL BOLSILLO. VAMOS A DAR LA BIENVENIDA, ¡ADELANTE!

NUESTRA SIGUIENTE TAREA ERA DAR LA BIENVENIDA A LOS VISITANTES. YO NO SABÍA QUÉ DECIR, ASÍ QUE ME QUEDÉ CON MI PADRE Y PUSE LA OREJA.

HE OÍDO QUE EL DRAGÓN ESTÁ ENVENENANDO LOS RÍOS DEL PUEBLO. ES MUY IMPORTANTE QUE **NO** OS BAÑÉIS EN EL RÍO. AUNQUE YA SÉ QUE HACE MÁS DE SEIS MESES QUE NO TE BAÑAS. ¡JA! ¡JA!
¡JA!
¡JA!

NO OS PREOCUPÉIS POR EL DRAGÓN. SON ANIMALES INCOMPRENDIDOS, COMO LOS PITBULLS.
¡JA!
¡JA!

¡ATENCIÓN, BUENA GENTE! ¡NO OS DEJÉIS ENGAÑAR POR EL APUESTO SIR HUGO!
A FE, ¿ES QUE **PAREZCO** UN VILLANO?

DIGO: A FE, ¿ES QUE **PAREZCO** UN VILLANO?

AY. PERDÓN, MI SEÑOR.

ERA UNO DE NUESTROS CHISTES. CADA VEZ QUE MI PADRE DECÍA «¿ES QUE PAREZCO UN VILLANO?» YO TENÍA QUE IR CORRIENDO A HACER ONDEAR SU CAPA MIENTRAS ÉL SOLTABA UNA RISA MALVADA.

¡MUAJAJAJAJAJAJA!

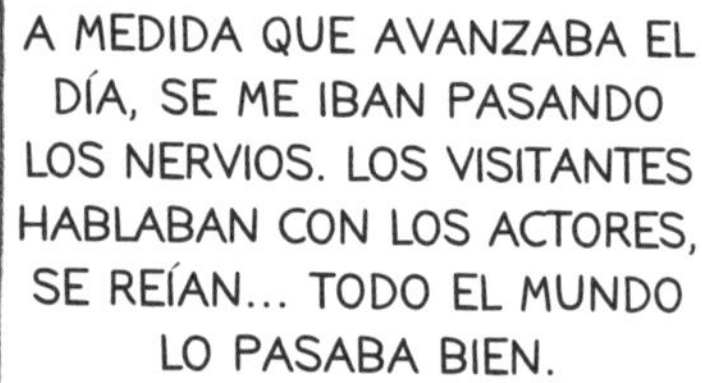
A MEDIDA QUE AVANZABA EL DÍA, SE ME IBAN PASANDO LOS NERVIOS. LOS VISITANTES HABLABAN CON LOS ACTORES, SE REÍAN... TODO EL MUNDO LO PASABA BIEN.

ATENCIÓN, ESCUDERO. ME LLAMAN A PALACIO. MÉZCLATE CON ESTOS PLEBEYOS... DIGO, ESTOS NOBLES CIUDADANOS, HASTA LA CABALGATA REAL.

PARA ENTENDERNOS, QUERÍA DECIR... QUE TENDRÍA QUE ESTAR SOLA UNA HORA ENTERA.

GLUPS.

NO ERA NADA FÁCIL DAR CONVERSACIÓN A DESCONOCIDOS ESTANDO COMPLETAMENTE SOLA.
Aguadoras
LOS DEMÁS PARECÍAN SABER PERFECTAMENTE LO QUE HACÍAN. LAS AGUADORAS SACABAN AGUA DEL POZO. LOS DEL POZO DE BARRO JUGABAN EN EL BARRO.
LOS TROVADORES, LOS JUGLARES, LOS TENDEROS... TODOS TENÍAN ALGO QUE HACER. EXCEPTO YO.

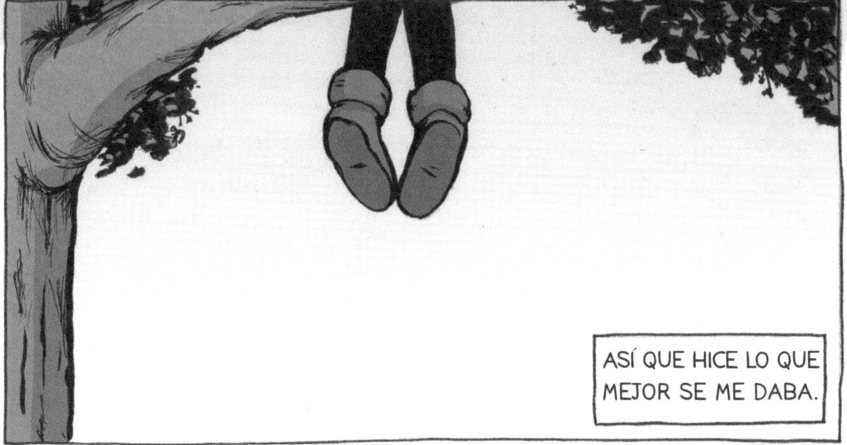
ASÍ QUE HICE LO QUE MEJOR SE ME DABA.

¡EH! ¡MUCHACHA! SOLO HAY **UNA** ERMITAÑA EN EL REINO, ¡Y SOY YO!
TING

JI, JI... HOLA, OFENSIA.

¿LE ESTÁS ESTAFANDO VEINTE MONEDAS A LA SEMANA A SU MAJESTAD QUEDÁNDOTE AHÍ SENTADA?

ES QUE NO SÉ QUÉ **DECIR.**
RECUERDA QUE NO ERES **TÚ**: ESTÁS INTERPRETANDO A UN PERSONAJE. ¿CREES QUE YO SOY ASÍ DE GUAPA Y CARISMÁTICA EN LA VIDA REAL?

¿Y TÚ DE QUÉ TE RÍES, BICHO APESTOSO SALIDO DE UN ESTERCOLERO?

PERO ¿QUÉ **HAGO?**

¡LO QUE **QUIERAS!** ES LO MEJOR DE LA FERIA: PUEDES HACER O DECIR LO QUE QUIERAS SIN METERTE EN LÍOS.

ATIENDE:
¡MI SEÑOR! DEBÉIS DE SER UN CABALLERO MUY VALIENTE, PUES HABÉIS MATADO A UN DRAGÓN Y LLEVÁIS SU PIEL SOBRE EL PECHO! ¿NO QUERRÍAIS PROTEGER DEL DRAGÓN A UNA DAMISELA BELLA Y VIRTUOSA?

¡PUES CLARO! AVISADME SI VEIS ALGUNA DAMISELA VIRTUOSA POR AQUÍ.

PLAS

¡PERO BUENO! ¡MENUDO RUFIÁN!

¿LO VES, GUILLERMINA? ¡PUEDES DECIR LO QUE QUIERAS!
¡MI SEÑOR! ¿ES VERDAD LO QUE DICEN DE LOS ESCOCESES Y LAS FALDAS?

HACE QUE PAREZCA MUY FÁCIL. PERO YO NO SOY TAN VALIENTE COMO ELLA.

A VECES, CUANDO ESTÁS EN UNA SITUACIÓN INCÓMODA...

LO MEJOR ES PASAR DE TODO.

¡LO HACES MUY BIEN!
¡VAYA, GRACIAS!

¡SOY UN HADA!
¿EN SERIO? ¡NUNCA HABÍA VISTO UNA DE VERDAD!

¿ME CONCEDERÍAS FORTUNA CON TU VARITA MÁGICA? ES QUE QUIERO LLEGAR A SER UN CABALLERO, Y CREO QUE NECESITARÉ MUCHA SUERTE.

¡VALE!
TAP

¡MAMÁ, MAMÁ, ESA NIÑA VA A SER UN CABALLERO, Y LE HE DADO SUERTE DE HADA!

QUÉ AMABLE ERES. PONTE A SU LADO, ¡OS SACARÉ UNA FOTO!
CLICK

¡NO ESTUVO MAL! QUIZÁ PODRÍA INTERACTUAR CON LOS NIÑOS.

POR ALGÚN MOTIVO, CON LOS MALABARES ERA MÁS FÁCIL HABLAR CON LA GENTE.
NO ES MAGIA, LO PROMETO, ¡SOLO MUCHA PRÁCTICA!

CABALLERO, ESTOY A VUESTRO SERVICIO.
¡JI, JI!

ENVALENTONADA, DECIDÍ HABLAR CON ALGUIEN DE **MI** TAMAÑO.
BUEN DÍA, MI SEÑORA. A JUZGAR POR VUESTRO HERMOSO VESTIDO, DEBÉIS DE SER DE LA NOBLEZA.

HOLA, GUILLERMINA.
¡OH! ESTO...

¿CÓMO SABES CÓMO ME LLAMO? ME SUENAS MUCHO...
VAMOS JUNTAS A CLASE.

AH.
¡AAAAAH!

ANITA, ¿VERDAD? VAS A MI CLASE DE CIENCIAS.
Y A LA DE INGLÉS Y EDUCACIÓN FÍSICA.
ME SENTÍ UN POCO TONTA POR NO ACORDARME.

¿TÚ TAMBIÉN TRABAJAS AQUÍ? PENSABA QUE CONOCÍA A TODO EL MUNDO.
QUÉ VA. MI PADRE Y YO TENEMOS EL ABONO DE TEMPORADA, VENIMOS DISFRAZADOS TODOS LOS FINES DE SEMANA.

¡ESCUDERO! NO ESTARÁS ESTORBANDO A ESTA DAMISELA, ¿VERDAD?
EN ABSOLUTO, CABALLERO. NOS CONOCEMOS DE LA ESCUELA.

¡AH! BUENO, SI OS CONOCÉIS, ESPERO QUE NOS MOSTRARÉIS VUESTRO APOYO EN LA JUSTA. UNA ROSA PARA UNA ROSA, MI SEÑORA.

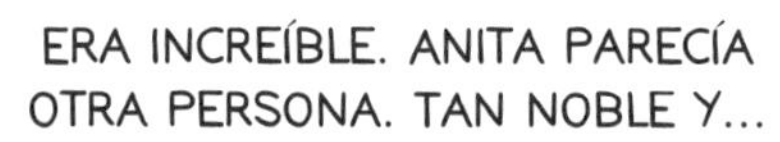
ERA INCREÍBLE. ANITA PARECÍA OTRA PERSONA. TAN NOBLE Y...

FELIZ.

EL RESTO DEL DÍA PASÓ VOLANDO, Y PRONTO LLEGÓ LA HORA DE... ¡LA JUSTA! LA MAYORÍA DE LA GENTE ASOCIA LAS FERIAS MEDIEVALES A MUSLOS DE PAVO ASADOS Y JUSTAS. Y ES VERDAD QUE ES UNA DE LAS PARTES MÁS EMOCIONANTES DEL DÍA.

LA PISTA ESTABA PARTIDA EN DOS: EL LADO DORADO PARA SIR JORGE, Y EL NEGRO, PARA MI PADRE. PARTE DE MI TRABAJO CONSISTÍA EN ANIMAR AL PÚBLICO DEL LADO DE MI PADRE... AUNQUE LA VERDAD ES QUE NO LES HACÍA MUCHA FALTA.

HIP, HIP...
¡HURRA!

BUENA GENTE, HEMOS DISFRUTADO DE TODO UN DÍA DE FIESTA SIN RASTRO DEL DRAGÓN. ¡ACLAMEMOS AHORA A ESTOS VALIENTES CABALLEROS QUE NOS MOSTRARÁN SUS HABILIDADES EN LA JUSTA!

MAJESTAD, PONGO MI FUERZA Y MAESTRÍA A VUESTRO SERVICIO Y AL DE TODO EL REINO.
YO TAMBIÉN ME PONGO A LOS PIES DE SU MAJESTAD Y EL REINO.

¡MENTIRA! MAJESTAD, ¡SIR HUGO ES UN CANALLA Y UN TRUHAN QUE PRETENDE CONQUISTAR ESTA CIUDAD PARA SUS PROPIOS INTERESES!
¡¿CÓMO?! A FE, CIUDADANOS, ¿ES QUE PAREZCO UN VILLANO?

¡MUAJAJAJAJAJA!

¡POR ESTAS VILES CALUMNIAS YO OS RETO, SIR JORGE, A UN DUELO! ¡ESCUDERO, TRAEDME EL ROCÍN Y LA LANZA!

¡¡ASÍ EMPIEZA LA ACCIÓN!!

TE PERDONARÉ LA VIDA SI JURAS ABANDONAR EL REINO PARA NUNCA VOLVER.

LO JURO. YA NO TENÉIS NADA QUE TEMER, NADA...

¡MI PARTE PREFERIDA DEL ESPECTÁCULO!

¡YA, ESCUDERO!

¡PONEOS A REZAR, SIR JORGE!

¡DETENEOS, SIR HUGO! PERDONADLE LA VIDA Y ME CASARÉ CON VOS PARA QUE GOBERNÉIS ESTA CIUDAD.

¡AMADA MÍA!
¡NO HAY OTRA SOLUCIÓN!

ACEPTO. GUARDIAS... MATADLO DE TODOS MODOS.

¡CANALLA!
PLAS

¿DE VERDAD CREÍSTEIS QUE GANARÍAIS, SIR HUGO?

NECIO. **TODO EL MUNDO** CONOCE EL FINAL DE LA LEYENDA DE SAN JORGE Y EL DRAGÓN. ¡YO VENZO AL DRAGÓN MALVADO, EL BIEN **SIEMPRE** TRIUNFA SOBRE EL MAL!

SIR JORGE, GRACIAS POR DESENMASCARAR AL BRIBÓN DE SIR HUGO Y PROTEGER LA CIUDAD. SOIS TODOS BIENVENIDOS AL DESFILE QUE HAREMOS EN SU HONOR. ¡TRES HURRAS POR SIR JORGE! HIP, HIP...
¡HURRA!

BIEN HECHO, MOMO. VAMOS AL DESFILE.

¡FUE UNA TRAMPA! **ME** CREÉIS, ¿VERDAD?

EL DESFILE DE LA TARDE TERMINA EN LAS PUERTAS PARA DAR COMIENZO A LA CEREMONIA DE CLAUSURA.

FERIA MEDIEVAL DE OTOÑO

AHORA, QUERIDOS SÚBDITOS, CERRAREMOS LAS PUERTAS PARA EL TOQUE DE QUEDA NOCTURNO. NO QUEREMOS QUE APAREZCAN BANDOLEROS A ATACAR LA CIUDAD. OS DECIMOS ADIÓS.

HA SIDO IMPRESIONANTE. NO SABÍA QUE DEJABAN ACTUAR A NIÑOS. EL AÑO PASADO NO SALÍAS EN EL ESPECTÁCULO.

AH, SÍ, EL AÑO PASADO TRABAJÉ EN LA TIENDA DE MI MADRE. ESA CORONA DE FLORES LA COMPRASTE ALLÍ.

TIENES MUCHA SUERTE DE PODER PASAR TANTO TIEMPO AQUÍ. A MI PADRE Y A MÍ NOS ENCANTA.

SÍ, TENGO SUERTE... ¿VOLVERÁS MAÑANA?
SÍ. HASTA MAÑANA. ADIÓS, GUILLERMINA.

EL HORARIO DE LA FERIA ES SIEMPRE IGUAL, ASÍ QUE EL DOMINGO FUE IGUAL QUE EL SÁBADO. Y YO YA ME SENTÍA MÁS PREPARADA PARA ACTUAR POR LA CALLE.

¿ME ENSEÑAS A HACER ESO?
¡VENGA, VALE!

¡ANNIE! VAMOS A POR CERVEZA. QUÉDATE AHÍ.
MIRA, EMPIEZAS CON DOS BOLAS EN LA MANO IZQUIERDA Y UNA EN LA DERECHA...

PRONTO ME VI RODEADA DE UN MONTÓN DE NIÑOS QUE QUERÍAN APRENDER A HACER MALABARES...

¡VAYA! PARECE QUE HAS ENCONTRADO UNA FORMA DE INTERACTUAR CON EL PÚBLICO, ¿NO?
¡SÍ, SUPONGO QUE SÍ!

SE ME PASARON LAS HORAS VOLANDO CON LA ESCUELA DE MALABARES. POR LA TARDE, TENÍA A LOS NIÑOS TAN OCUPADOS QUE ME DIO TIEMPO DE PRACTICAR CON LA ESPADA.

BUEN DÍA, GUILLERMINA.
¡ANITA! ¡BUEN DÍA!

VEO QUE TENÉIS HABILIDAD CON LA ESPADA. YO TAMBIÉN ME DEFIENDO CON EL FLORETE.
¿AH, SÍ?
NO SÉ POR QUÉ, PERO ANITA NO PARECÍA PRECISAMENTE UNA ESPADACHINA.

DOY CLASES DE ESGRIMA. LA MAYORÍA DE UNIVERSIDADES IMPORTANTES TE EXIGEN PRACTICAR ALGÚN DEPORTE.
¿QUIERES QUE BUSQUEMOS UNA ESPADA Y PRACTICAMOS JUNTAS?

NO. VOY A VER UN ESPECTÁCULO CON MI PADRE. QUIZÁS EL PRÓXIMO FIN DE SEMANA.
BUENO, ERA UN **POCO** RARA. PERO ME RECONFORTABA PENSAR QUE AHORA TENDRÍA **OTRA** AMIGA EN SECUNDARIA.

NO PORQUE ESTUVIERA NERVIOSA POR VOLVER A CLASE NI NADA.
NERVIOSÍSIMA.

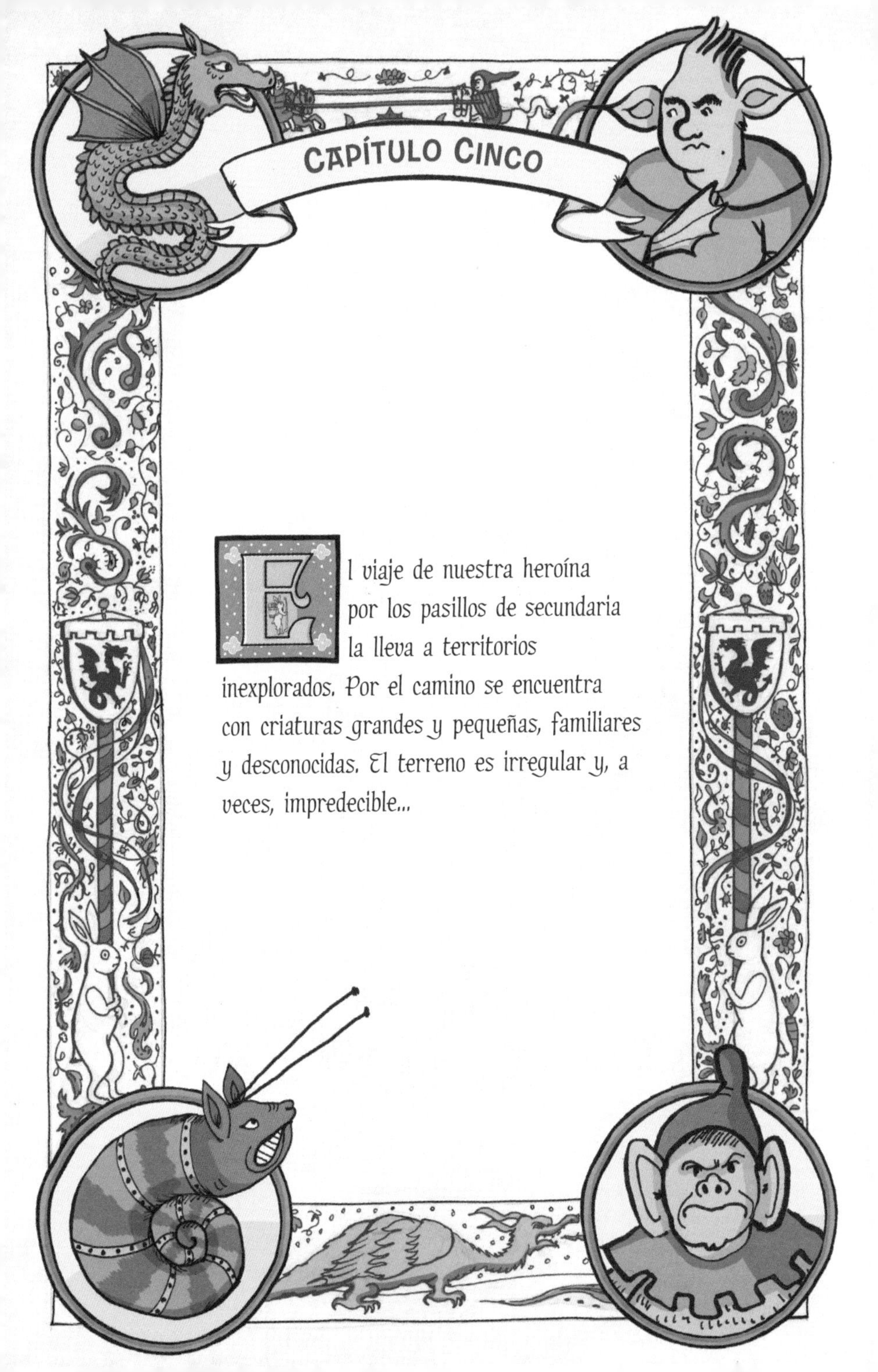

Capítulo Cinco

El viaje de nuestra heroína por los pasillos de secundaria la lleva a territorios inexplorados. Por el camino se encuentra con criaturas grandes y pequeñas, familiares y desconocidas. El terreno es irregular y, a veces, impredecible...

DE MOMENTO, LA ESCUELA ME PARECE... **EXTRAÑA.** AÚN NO TENGO CLARAS LAS REGLAS, ES AGOTADOR.
¡HOLA, ANITA! ¿CÓMO ESTÁS?

CREO QUE NO DEBERÍAMOS HABLAR MUCHO POR AQUÍ.
¿CÓMO? ¿POR QUÉ?

HAZME CASO. SERÁ MÁS FÁCIL ASÍ. LUEGO ME LO AGRADECERÁS.
?

Y, UNA VEZ **CONOCES** LAS REGLAS, PUEDEN CAMBIAR DE REPENTE.
¡OYE, GUILLERMINA! ¿POR QUÉ LLEVAS LAS MISMAS BOTAS TODOS LOS DÍAS?

¿MIS BOTAS? TENGO QUE LLEVARLAS MUCHO PARA ABLANDARLAS.

AH. PENSABA QUE IGUAL NO TENÍAS OTROS ZAPATOS.
JI, JI, JI.
JI, JI, JI.
CREÍA QUE LE **GUSTABAN** MIS BOTAS.

SUPONGO QUE, IGUAL QUE EN LA FERIA, AÚN NO TENGO CLARO MI PERSONAJE, NI SÉ QUIÉN TENGO QUE SER.

AUNQUE EL COLEGIO ES MUCHO MÁS EXTRAÑO QUE LA FERIA. NUNCA SABES LO QUE PUEDE PASAR.
¡PELEA! ¡PELEA!
¿DÓNDE **ESTOY?** ¡ESTO ES UNA LOCURA!

ESTOY CASI SIEMPRE CON CLARA, Y ELLA SIEMPRE ESTÁ CON DIANA Y PAULA. PARECE QUE LOS GRUPOS SON MÁS SEGUROS.
YO
MARGEN DE SEGURIDAD
ES BONITO ESTAR EN UN GRUPO. AUNQUE ALGUNAS PERSONAS SEAN UN POCO PESADAS. NORMALMENTE ME QUEDO CALLADA Y OBSERVO PARA APRENDER LAS REGLAS.

REGLA 4.062: CUANDO ESTÁS SOLA AUMENTAN LAS POSIBILIDADES DE QUE SE METAN CONTIGO.
¡PFFFFT!

OYE, ¿CONOCES A ANITA, DE CLASE DE CIENCIA?
¿ANITA WALKER? NI ME HABLES DE ELLA.

SE CREE MEJOR QUE NADIE PORQUE ES UN GENIO. ES UNA SUPERLISTILLA.
CUANDO ÍBAMOS A CUARTO, UNOS NIÑOS ESCONDIERON LA RANITA DE PELUCHE DE LA PROFE PARA GASTARLE UNA BROMA. ANITA SE LO CONTÓ Y NOS CAYÓ A TODOS UNA **BUENA.**

AH.
PERO SI ESO FUE EN **CUARTO,** ¿CÓMO ES QUE TODAVÍA LES IMPORTA?

REGLA 4.063: TODO EL MUNDO LLEVA LOS MISMOS ZAPATOS.

OYE, PAULA, ¿QUÉ ZAPATOS SON ESOS QUE LLEVAS?
SON SAMMIES. SON COMODÍSIMOS, Y DE MUY BUENA CALIDAD. ¡TENDRÍAS QUE COMPRARTE UNOS!

LO MEJOR DEL DÍA ES CUANDO VUELVO A CASA, ESPECIALMENTE LAS TARDES EN LAS QUE VAMOS A LA TIENDA A PREPARARNOS PARA EL FIN DE SEMANA. LA FERIA ESTÁ CERRADA AL PÚBLICO, ASÍ QUE NO TENGO QUE PREOCUPARME POR LO QUE DIGO O LA ROPA QUE LLEVO. SIENTO QUE PUEDO RESPIRAR TRANQUILA.

AHHHH.
AUNQUE, CLARO, ENTRE SEMANA LA FERIA YA NO ES **TAN** DIVERTIDA COMO ANTES.

¡TE ROBO A LOS NIÑOS! LAS AGUADORAS NECESITAN VÍCTIMAS, DIGO, VOLUNTARIOS PARA UN NÚMERO QUE ESTÁN PREPARANDO.
¡YUPIIII!

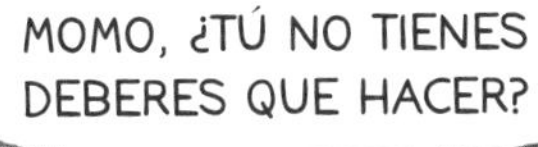
MOMO, ¿TÚ NO TIENES DEBERES QUE HACER?

JO, MAMÁ.

¡PUES NADA! ¡AHÍ TE QUEDAS!

¡AHÍ TE QUEDAS!

GRRRR

QUÉ CURIOSO: CUANDO DECIDÍ EMPEZAR LA ESCUELA, LA ÚNICA COSA EN LA QUE NO PENSÉ FUE... EN LA **ESCUELA.**

LA MAYORÍA DE LAS ASIGNATURAS ERAN FÁCILES Y NO TENÍA QUE ESFORZARME PARA HACER LOS DEBERES. ¿LENGUA? ¿HISTORIA? NINGÚN PROBLEMA.
LA PROFE DE MATES PARECE QUE PASA DE TODO, ASÍ QUE NO MANDA MUCHOS DEBERES.
INGLÉS, VERY WELL (THANK YOU POR EL REPASO, PAPÁ). Y EN ARTE Y EDUCACIÓN FÍSICA NO PONÍAN DEBERES, ASÍ QUE QUEDABA...
CIENCIAS.
ZUM
Leer el capítulo 4 (págs. 55-74) y responder a las siguientes preguntas:
1. ¿Cuál de los siguientes no es un atributo de un planeta?
a) No es lo bastante grande como para generar fusión termonuclear.
b) Ha despejado el área que lo rodea de planetesimales.
¿CÓMO CONSEGUÍA EL DOCTOR RODRÍGUEZ QUE HASTA LOS PLANETAS PARECIERAN ABURRIDOS?
El aburrimiento es mi superpoder
¡CLANG! ¡CLANG!
¡ATRÁS, MALANDRÍN!
¡YA HE TERMINADO, MAMÁ! ¡HASTA LUEGO!
EL DOCTOR RODRÍGUEZ PODÍA ESPERAR.

ME ARREPENTÍ DE MIS ACTOS A LA MAÑANA SIGUIENTE.
¿HAS HECHO LOS DEBERES DE CIENCIA?
¡OH, NO!

¿QUÉ?
ES QUE... ¡SE ME OLVIDÓ HACERLOS! ANOCHE ESTUVE UN POCO OCUPADA.

¿HACIENDO QUÉ?
PUES...
ES QUE... SE ME OLVIDÓ.

SÍ, **AÚN** NO LE HE CONTADO A CLARA LO DE LA FERIA. SÉ QUE SE SUPONE QUE ES MI AMIGA, PERO ME PARECE MÁS SEGURO MANTENER LA ESCUELA Y LA FERIA SEPARADAS, NO SÉ SI ME EXPLICO.
NO PASA NADA, TE DEJO LOS MÍOS, ERAN SUPERFÁCILES.

¿EN SERIO?
CLARO. SOMOS AMIGAS, ¿NO?
¡¡AMIGAS!!

HAY ALGUIEN EN EL COLEGIO MUY FÁCIL DE ENTENDER: EL DOCTOR RODRÍGUEZ. ES PURA MALDAD.
ESTOY MUY DECEPCIONADO CON LOS RESULTADOS DEL PRIMER EXAMEN.

RECORDAD, SI TENÉIS **MENOS DE UN APROBADO,** VUESTROS PADRES O TUTORES TIENEN QUE FIRMAROS EL EXAMEN PARA EL MIÉRCOLES.
¡DIABLOS!
Guillermina
Clase 4
0

OS RECOMIENDO QUE ECHÉIS UN VISTAZO A ESTE TRABAJO PARA SUBIR NOTA. ESTO ES UN **MAPA CELESTE.** POR LAS NOCHES, O EL FIN DE SEMANA, PODÉIS SEÑALAR EN ÉL LAS CONSTELACIONES QUE OBSERVÉIS.

¿HAY OTRO TRABAJO QUE PODAMOS HACER SI NO TENEMOS TIEMPO POR LAS NOCHES O EL FIN DE SEMANA?

¿POR QUÉ ESTÁ TAN OCUPADA? ¿CREES QUE TIENE NOVIO?
JI, JI
JI, JI

LO HABLAMOS DESPUÉS DE CLASE. LOS DEMÁS...
¡RRRRRIIINNGG!
¡ESPERAD!
ÑEC
RAC
¡NO HE DICHO QUE HAYAMOS TERMINADO! SENTAOS.
CRI CRI
CRI CRI
... VALE, YA PODÉIS IROS.
VAYA, MENUDO MANIÁTICO.

NO **ME** PREOCUPABA MUCHO CONTARLES A MIS PADRES LO DEL SUSPENSO EN EL EXAMEN DE CIENCIAS. NO CREÍAN MUCHO EN LA ESCOLARIZACIÓN FORMAL. EN EL PEOR DE LOS CASOS, PODÍA VOLVER A ESTUDIAR EN CASA.

PERO TAMPOCO ES QUE ME **MURIERA** DE GANAS.

ESTO... ¿MAMÁ?
AY, MECACHIS.

MOMO, SÉ QUE ESTÁS ESTUDIANDO, PERO ¿TE IMPORTARÍA PASARTE POR LA CARPINTERÍA A VER SI JOSÉ TIENE ALGÚN LISTÓN QUE LE SOBRE? QUIERO HACER UNA ESTANTERÍA NUEVA PARA LAS CASITAS DE HADAS.

¡CLARO QUE SÍ, MAMÁ!

NO ME IRÍA MAL PONERLA DE BUEN HUMOR ANTES DE DARLE MALAS NOTICIAS.

¡LLÉVATE LO QUE QUIERAS DE ESE MONTÓN! ES PARA TIRAR.

¿EN SERIO? ¿INCLUSO ESTE ESCUDO?
SÍ, ME SALIÓ FATAL.

JOSÉ ES UN PERFECCIONISTA.

¡GRACIAS, JOSÉ!

EL DOCTOR PODÍA ESPERAR, PORQUE SE ME HABÍA OCURRIDO UNA COSA PARA MIS NÚMEROS EN LA CALLE.

ESCUELA C.A.M.
Caballerosidad
Honestidad
Valentía
Malabares

ASÍ QUE «C.A.M.» ¿EH? ¿EL NOMBRE ES POR ALGO? ¿UN ALGO ALTO Y GUAPO QUE HACE MALABARES?

ESCUELA C.A.M.

NO. PARA TU INFORMACIÓN, SIGNIFICA «CABALLERO APRENDIZ MALABARISTA». PUEDO ENSEÑAR A LOS NIÑOS ESGRIMA Y MALABARES. ME INSTALARÉ EN AQUELLA ESQUINA DE ALLÍ. Y, MAMÁ, CUANDO VENDAS ESPADAS DE MADERA, ¡PUEDES MANDARME A LOS NIÑOS! TAMBIÉN PODRÍAS VENDER PELOTAS DE MALABARES.

¡MENUDA CABEZA PARA LOS NEGOCIOS! ¿TE HARÁS EJECUTIVA, MOMO? NO TE OLVIDES DE LOS PLEBEYOS CUANDO GANES TU PRIMER MILLÓN.

¡VAYA! LO DE **EJECUTIVA** NO SUENA MAL.

ES UNA BUENA IDEA, MOMO. ESTOY MUY ORGULLOSA DE LO BIEN QUE LLEVAS LO DE LA ESCUELA Y TUS DEBERES COMO ESCUDERO. MI GARBANCITO VALIENTE. SIÉNTATE, QUE TE HARÉ UNAS TRENZAS.
¡¡MAMÁ!!
¡ME DA MUCHA VERGÜENZA CUANDO ME LLAMA «GARBANCITO»!

AUNQUE NO ME IMPORTE **EN REALIDAD.**
DECIDÍ OLVIDARME DEL EXAMEN DE MOMENTO. **ERA** FIN DE SEMANA, DESPUÉS DE TODO.

AL CONTRARIO DE LOS DÍAS DE CLASE, EL FIN DE SEMANA ME DESPIERTO MUY EMOCIONADA POR LA FERIA.

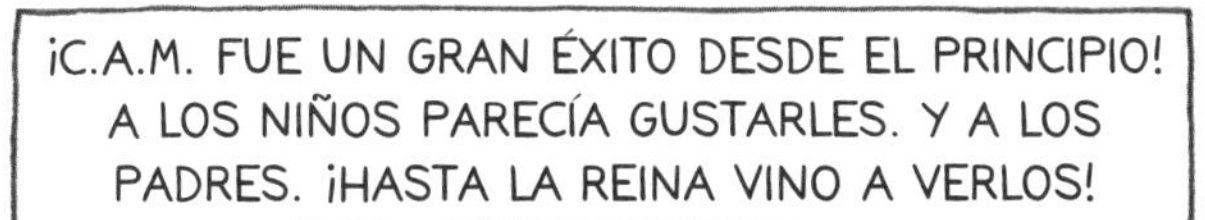
¡C.A.M. FUE UN GRAN ÉXITO DESDE EL PRINCIPIO! A LOS NIÑOS PARECÍA GUSTARLES. Y A LOS PADRES. ¡HASTA LA REINA VINO A VERLOS!

ESCUELA C.A.M.

VEO QUE LOS RUMORES ERAN CIERTOS, ¡ESTÁIS ENTRENANDO A LA PRÓXIMA GENERACIÓN DE LEALES SÚBDITOS DEL REINO!

DECIDME, APRENDICES DE CABALLERO, ¿ESTÁIS PREPARADOS PARA DEFENDER EL REINO CONTRA EL DRAGÓN TERRIBLE QUE NOS AMENAZA?
ESCUELA C.A.M.
¡¡SÍ!!
¡TENGO UNA ESPADA!
¡YO TENGO UN DRAGÓN PINTADO EN LA CARA, MIRAD!
¡YO UNA VEZ VI UN DRAGÓN!

MUY BIEN, CONTINUAD EL ENTRENAMIENTO, ESCUDERO, BUEN TRABAJO.

VENGA, CABALLEROS, COMO HEMOS ENSAYADO, A LA DE TRES... 1... 2... 3...

¡DIOS SALVE A LA REINA!
SÍ, LA VERDAD ES QUE ESTABA MUY EMOCIONADA.

BUEN DÍA, GUILLERMINA.
AH, HOLA. DIGO, BUEN DÍA.

TE ESTABA BUSCANDO, NO SABÍA QUE HABÍAS MONTADO UNA ESCUELA. ¿TE APETECE PRACTICAR?

NO LO ENTIENDO. CREÍA QUE NO QUERÍAS NI HABLAR CONMIGO. PORQUE EN LA ESCUELA...

EN SECUNDARIA SON TODOS **IDIOTAS.** Y, PERDONA QUE TE LO DIGA, PERO LAS CHICAS CON LAS QUE TE HAS JUNTADO SON LAS PEORES. VE CON CUIDADO, PORQUE UN DÍA SERÁN TUS MEJORES AMIGAS Y AL OTRO NO QUERRÁN SABER NADA DE TI.

NO ESTÁN **TAN** MAL. SÍ, A VECES SON UN POCO SUPERFICIALES, PERO EN GENERAL SON MAJAS...

YO LAS CONOZCO DE TODA LA VIDA, Y TE DIGO QUE SON IDIOTAS. ¿POR QUÉ CREES QUE ME ESFUERZO TANTO EN LA ESCUELA? VOY A SER LA PRIMERA DE LA CLASE, ME ACEPTARÁN EN UNA UNIVERSIDAD BUENÍSIMA Y ME IRÉ MUY LEJOS. SOLO QUEDAN SIETE AÑOS.

REPITO: ¿QUIERES PRACTICAR?

ES DIFÍCIL NEGARSE A UN BUEN COMBATE CON UNA RIVAL FORMIDABLE.

Espadas de práctica

LA ESGRIMA TE DISTRAE DE CUALQUIER PROBLEMA. Y ANITA ERA BUENA **(¡MUY BUENA!)**. A MÍ SE ME DA BIEN HACER EL PAYASO, PERO ELLA SABÍA PERFECTAMENTE LO QUE SE HACÍA.

¡UNA LID JUSTA Y NOBLE!

TIENES MUCHA SUERTE DE TRABAJAR AQUÍ. CUANDO ERA PEQUEÑA SOÑABA CON SER PARTE DE UNO DE LOS ESPECTÁCULOS DE ESGRIMA.
¡PODRÍAS HACERLO! ¡ERES BUENÍSIMA!

¡YO QUIERO APRENDER COMO VOSOTRAS!
¡YO TAMBIÉN! ¡YO TAMBIÉN!
¡SILENCIO! ESPERAD UN MOMENTO, ¡SOIS DEMASIADOS!

VOSOTROS TRES, VENID CONMIGO. GUILLERMINA, ¿TE QUEDAS CON EL RESTO?

REGLA 4.065: SE PUEDE SER AMIGO DE ALGUIEN **FUERA** DE CLASE AUNQUE **DENTRO** DE CLASE NI TE HABLES... ¿SUPONGO?
QUÉ REGLA MÁS RARA.

Capítulo Seis

Si te encuentras embarcándote en una peripecia por territorio desconocido, puede que encuentres a otros viajeros o gente de otros lares por el camino. Tal vez te interese conocer su forma de ser, visitar sus hogares y aprender sus costumbres para sentirte más cómoda en tierra extraña.

COMO ANITA NO QUERÍA QUE HABLÁRAMOS EN LA ESCUELA, EL LUNES SOLO LA OBSERVÉ.
SIEMPRE LEVANTA LA MANO.
GOMITAS DE BORRAR DE ANIMALES.
LA CAMISETA POR DENTRO
CASI PODÍA ENTENDER POR QUÉ LOS DEMÁS SE REÍAN DE ELLA. LLAMABA BASTANTE LA ATENCIÓN.

¿POR QUÉ NO SE ESFUERZA EN INTEGRARSE UN POCO MÁS?

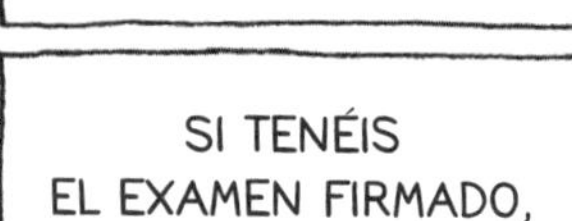

SI TENÉIS EL EXAMEN FIRMADO, DEJÁDMELO EN LA MESA AL SALIR.

¡DEMONIOS! ¡SE ME HABÍA OLVIDADO!

ÉL NO TIENE NI IDEA DE CÓMO SON LAS FIRMAS DE MIS PADRES...

¡SEÑORITA VEGA! ¡LE HE HECHO UNA PREGUNTA!
¡AAAARGH!

VENGA A VERME DESPUÉS DE CLASE.

PASAMOS EL RESTO DE LA CLASE LEYENDO EN SILENCIO.

CUANDO SONÓ EL TIMBRE, EL DOCTOR SIGUIÓ CORRIGIENDO E HIZO VER QUE NO ME VEÍA.
EJEM

DISCULPE... ¿DOCTOR RODRÍGUEZ?

SEÑORITA VEGA, HASTA AHORA HA ESTUDIADO USTED EN CASA, ¿VERDAD?

ME PREOCUPA SU RENDIMIENTO EN ESTA ASIGNATURA. SUS TRABAJOS ESTÁN A MEDIAS, SU PARTICIPACIÓN EN CLASE... BRILLA POR SU AUSENCIA. NO SÉ CÓMO HAN SIDO SUS ESTUDIOS...
PERO, EN CLASE, ESPERO MÁS DE MIS ALUMNOS.

¡Y **YO** ESPERO QUE UN PROFESOR NOS ENSEÑE COSAS EN LUGAR DE HACERNOS LEER EN SILENCIO TODO EL RATO!

¿QUEDA CLARO?
¿HM? SÍ, SEÑOR.
ESTUVE A PUNTO DE HACERLE UNA REVERENCIA. **¡QUÉ** VERGÜENZA!

MENUDO TONTO. NO ME EXTRAÑA QUE MIS PADRES NO QUISIERAN TRAERME AQUÍ.

¡GUILLERMINA! ¿QUÉ TE HA DICHO?
NADA. ARGGGH, ME CAE FATAL.

SÍ, ES LO PEOR. OYE, SE ME OLVIDABA. ¿QUIERES VENIR A MI CASA DESPUÉS DE CLASE? MI MADRE YA TIENE LAS INVITACIONES, ¡VAMOS A PLANEAR MI FIESTA DE CUMPLEAÑOS!

¿HOY?
A DECIR VERDAD... ME ATERRABA PENSAR EN IR A CASA DE CLARA. YA ME COSTABA BASTANTE SABER CÓMO ACTUAR EN EL INSTITUTO DURANTE OCHO HORAS. LO QUE QUERÍA DE VERDAD ERA IRME A MI CASA, TOMARME UN TAZÓN DE CEREALES Y RELAJARME.

PERO SE SUPONÍA QUE TENÍA QUE QUERER ESTAR CON MIS NUEVAS AMIGAS DESPUÉS.
BUENO, VALE.
¡VAYA, QUÉ **TONO** DE EMOCIÓN! NOS VEMOS EN MI TAQUILLA DESPUÉS DE CLASE.

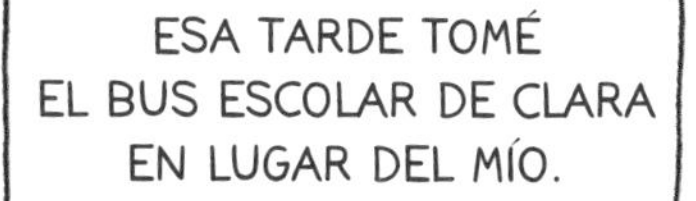
ESA TARDE TOMÉ
EL BUS ESCOLAR DE CLARA
EN LUGAR DEL MÍO.

RESULTA QUE PAULA
Y MUCHAS OTRAS NIÑAS
IBAN EN LA MISMA RUTA.

IGUAL ERA CULPA DE ANITA...
PERO NO ACABABA DE ENTENDER
POR QUÉ CLARA QUERÍA SER MI AMIGA.
NO TENÍAMOS MUCHO EN COMÚN.

ROPA
MAQUILLAJE
CHICOS

¡ESTÁS MUY CALLADA, GUILLERMINA!
¿POR QUÉ NO DICES NADA?

ESO ES LO PEOR QUE TE
PUEDEN PREGUNTAR. ME QUEDÉ
AÚN **MÁS** NERVIOSA Y CALLADA.

VAMOS, GUILLERMINA.
NOS BAJAMOS AQUÍ.

¿VIVES
AQUÍ?

A VECES PASÁBAMOS EN COCHE POR ESTA URBANIZACIÓN PARA ADMIRAR LAS MANSIONES. NUNCA PENSÉ QUE ENTRARÍA EN UNA.

VAMOS A TOMAR ALGO DE MERIENDA.

LA COCINA PARECÍA UN SUPERMERCADO. EN MI CASA **NUNCA** HABÍA COSAS TAN RICAS, TODO HUBIERA DESAPARECIDO A LOS CINCO MINUTOS DE GUARDARLO.

¡CUÁNTOS **ZAPATOS!**
TENGO UNAS SAMMIES DE CADA COLOR.

VALE, LO PRIMERO,
LA LISTA DE INVITADOS.
DIANA, TÚ APUNTA.

NO TE QUEDES AHÍ **PARADA,** GUILLERMINA, PUEDES SENTARTE.
JI, JI, JI

VALE, INVITADOS: YO, VOSOTRAS TRES...
¿Y LAURA?

NO. HA MUERTO PARA MÍ.
¡SI ACABAS DE HABLAR CON ELLA EN EL BUS!

CLARA ME FULMINÓ CON LA MIRADA. OTRA REGLA QUE NO ENTENDÍA.

Y MARÍA, CLARO.
Y JUAN.
¡Y TOMÁS!
JI, JI, JI
JI, JI, JI

¡**Y** PABLO!
¡OOOOH!

ADMÍTELO, GUILLERMINA. TE GUSTA, ¿VERDAD?
¡PUAJJ! **NO,** PARA NADA.

PUES **TÚ** A ÉL SÍ, ESTÁ CLARÍSIMO. MAÑANA LE DARÁS LA INVITACIÓN.

NI HABLAR.

YA TE DIGO YO QUE SÍ. SI NO LO HACES, ESTÁS DESINVITADA.
PERO...

Y, HABLANDO DE AMOR... MIRAD LO QUE TENGO...

Amigos
Amigos

¿TE GUSTAN LOS LIBROS DE AMIGOS ANIMALES? A MÍ TAMBIÉN, ¡ME ENCANTAN!
¿AH, SÍ? ¡Y A MÍ!

¿HAS LEÍDO EL DE...?
OLVIDAOS DE ESO. SON DE NIÑAS PEQUEÑAS. **¡MIRAD ESTO!** LO ENCONTRÉ EN LA HABITACIÓN DE MI HERMANA.

ES SOBRE UNA CHICA QUE SE VA A CALIFORNIA PARA SER ACTRIZ. ¡ESTA PARTE ES LA MEJOR!

«ROSA SE ESTREMECIÓ MIENTRAS TOMÁS LE TOMABA LA MANO Y LA GUIABA HASTA EL OCÉANO CÁLIDO Y APACIBLE.»

«SUS MANOS LE ACARICIARON LA ESPALDA Y, DESPACIO, LE DESABROCHARON EL LAZO DE LA PARTE DE ARRIBA DEL BIKINI.»

TODO ESO ME SUPERABA. NO ESTABA CÓMODA, QUERÍA IRME A CASA.
PERO TAMBIÉN QUERÍA SEGUIR ESCUCHANDO... **¿QUÉ ME PASABA?**

¡TOC, TOC!
¡AYYYYYY!

¡GUILLERMINA, ESCÓNDELO!
FLAS

TENGO TUS INVITACIONES, CLARA... ¿QUÉ HACÉIS?

¡NADA!

ME VOY. LLAMA A TU PADRE SI NECESITAS ALGO, Y SI NO TE RESPONDE... DILE QUE ESTA SEMANA LE TOCA A ÉL ESTAR CONTIGO Y TU HERMANA. Y A LAS CINCO, TUS AMIGAS TIENEN QUE IRSE A CASA.
¡QUE SÍ, MAMÁ!

CARAY. LAS FAMILIAS DE LOS DEMÁS SON RARAS.

¿QUERÉIS VER LAS INVITACIONES?

NOS COMPLACE ENORMEMENTE INVITAROS...
UN MOMENTO... ¿DÓNDE VA A SER LA FIESTA?

PUES...
¡EN LA FERIA MEDIEVAL!

¿CÓMO? **¿TE GUSTA** LA FERIA MEDIEVAL?

IGUAL PARECE UN **POCO** TONTA, PERO EN **REALIDAD** ES GENIAL. MI PADRE ME LLEVÓ HACE UNOS AÑOS. PUEDES HACERTE TRENZAS, Y ME COMPRÉ ESA ROSA DE METAL. ¿HAS IDO ALGUNA VEZ?

PUES... LA VERDAD... *EJEM* ES QUE...

PENSÉ QUE ERA AHORA O NUNCA. QUIZÁ LES PARECERÍA BIEN. Y NO PODÍA GUARDAR EL SECRETO PARA SIEMPRE.

RESULTA QUE... MI FAMILIA TRABAJA ALLÍ. MIS PADRES, QUIERO DECIR. YO LES AYUDO. EN LA TIENDA. CON MI HERMANO.

CREO QUE ERA LA PRIMERA VEZ QUE DECÍA TANTAS PALABRAS DE UNA VEZ.

¡QUÉ PASADA!
VAYA, PUES... SÚPER. SUPONGO.
¡PENSABA QUE AHÍ SOLO TRABAJABAN FERIANTES!

BUENO, HAY GENTE QUE VA DE FERIA EN FERIA. PERO MI MADRE TIENE UNA TIENDA, Y MI PADRE ES CABALLERO. ES ACTOR.

¿TU PADRE ES **CABALLERO?**
¿TU PADRE ES **ACTOR?** ¿HA SALIDO POR LA TELE?
UFF... **PARECÍA** QUE NO SE LO HABÍAN TOMADO NADA MAL... ¿NO?

SALIÓ EN UNOS ANUNCIOS HACE AÑOS, PERO AHORA SOLO TRABAJA EN LA FERIA.

ENTONCES SE PUSIERON A HABLAR DE ACTORES Y PROGRAMAS DE TELEVISIÓN, Y ME RELAJÉ UN POCO. ME SENTÍA MEJOR AHORA QUE HABÍA DESVELADO EL SECRETO.
PERO TENÍA LA SENSACIÓN DE QUE CLARA ME MIRABA DE FORMA DISTINTA (Y A MIS BOTAS TAMBIÉN).

DIANA VIVÍA CERCA DE MI CASA, ASÍ QUE A LAS 4:45, SU MADRE ME LLEVÓ A CASA.
DE REPENTE, NUESTRO BLOQUE PARECÍA MUCHO MÁS POBRE.

ME ESPERARÉ A QUE ENTRES.
GRACIAS, PERO NO HACE FALTA.

NO ME IMPORTA. ENCANTADA DE CONOCERTE, GUILLERMINA.
¡HASTA MAÑANA!

OYE, QUÉ RARO...
CLEC
CLEC

TOC
TOC
¡MAMÁ! ¡NO PUEDO ABRIR!

¿LA PALABRA MÁGICA ES CUÁL?
OH, NO...

AUNQUE HA VISTO *LA GUERRA DE LAS GALAXIAS* COMO DOS MILLONES DE VECES, FÉLIX IMITA A YODA FATAL.
¡DÉJAME ENTRAR!

¡LA PALABRA MÁGICA NO ES!
¡BLAM!

¿MAMÁ? ¡MAMÁ! ¡FÉLIX NO ME DEJA ENTRAR!
¡PUM!
¡PUM!
¡A LA COMPRA HA IDO!

¡VAYA! ¡EL COCHE NO ESTÁ!

¡PAPÁ! ¡DÉJAME ENTRAR!
¡EN EL BAÑO ESTÁ! ¡EN SALIR UNA HORA TARDARÁ!

¡ABRE! ¡ABRE LA PUERTA, MONSTRUO!
¡PUM!
¡PUM!
¡PUM!
¡PUM!
¡PUM!
PACIENCIA QUE APRENDER TIENES, PEQUE-- ¡ARGH!
¡FÉLIX, ABRE LA PUERTA! ¿QUÉ TE PASA?

¡FÉLIX, A TU HABITACIÓN!
¡AAAARGH!

¡BUFFF! ¡QUÉ VERGÜENZA!
¡UNA NIÑA DE MI CLASE LO HA VISTO TODO!
¿POR QUÉ ES TAN PESADO?

ES LO QUE TIENE QUE HACER UN HERMANO PEQUEÑO.

A LA HERMANA DE CLARA NO LE HABÍAMOS **VISTO** EL PELO. ¡ESA SÍ ES UNA HERMANA IDEAL!

HOY PARA CENAR HACEMOS «JUAN PALOMO. LO QUE ENCUENTRE, ME LO COMO».
Bears

ODIO LAS CENAS «JUAN PALOMO». SIEMPRE ACABO CON UN MENDRUGO DE PAN SECO Y, CON SUERTE, UNA LONCHA DE QUESO.

ESTO ESTÁ HECHO UN DESASTRE, ¿NO CREES?
AH, ¿VAS A PONERTE A ORDENAR? ESTUPENDO, GRACIAS.

BUENO... ME VOY A MI CUARTO.
VALE.

INTENTÉ HACER LOS DEBERES...
QUÉ ROLLO DE TRABAJO, NO SE VE **NINGUNA** ESTRELLA, SOLO LAS LUCES DEL APARCAMIENTO.

Amor de

«TOMÁS BAJÓ LOS TIRANTES DEL BIKINI POR LOS HOMBROS BRONCEADOS DE ROSA...»
Amor de

TOC
TOC
¡MOMO! LA ROPA LIMPIA.
¡AAARGH!

¿QUÉ MOSCA TE HA PICADO?
FLAS
Hello, Friend!
Hello, Friend!
HISTORIA
Sexo

A LA MAÑANA SIGUIENTE, MIENTRAS ME PREPARABA PARA IR A CLASE...

HMMM...

SI TENÉIS MI EDAD, OS SONARÁ ESTE DILEMA: NECESITAS UN FAVOR Y TIENES QUE DECIDIR QUIÉN ES MÁS PROBABLE QUE TE DIGA QUE SÍ, SI MAMÁ O PAPÁ.

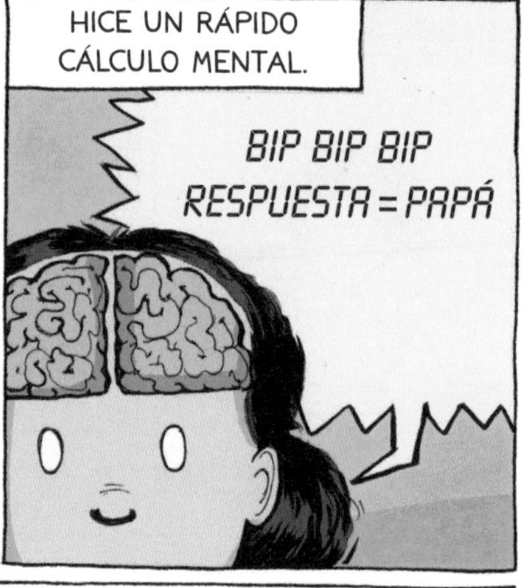
HICE UN RÁPIDO CÁLCULO MENTAL.
BIP BIP BIP
RESPUESTA = PAPÁ

OYE, PAPÁ, CUANDO ME PAGUEN LA PRÓXIMA SEMANA DE ESCUDERO, NECESITO COMPRARME UNOS ZAPATOS NUEVOS.

¿ZAPATOS NUEVOS? ¿QUÉ LES PASA A TUS BOTAS?
DIABLOS. ESO NO ENTRABA EN EL PLAN.

RECALCULANDO.
RECALCULANDO.

NO LES PASA NADA. ES QUE NECESITO UNOS TENIS.
... PARA CLASE DE EDUCACIÓN FÍSICA. SON OBLIGATORIAS.

NO SUELO MENTIR A MIS PADRES... PERO LO DE LAS SAMMIES ME PARECÍA ALGO COMPLICADO DE EXPLICAR.

PERO MOMO, SI NECESITAS UNOS TENIS PARA EL COLEGIO, ¡NO TIENES QUE PAGARLOS TÚ! IREMOS A POR UNOS DE CAMINO A LA FERIA POR LA TARDE.
¡QUÉ FÁCIL!

¡GRACIAS, MAMÁ! ERES LA MADRE MÁS MARAVILLOSA DEL MUNDO ENTERO.
YA, YA...

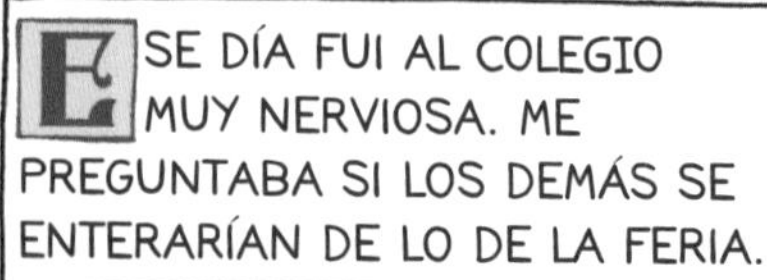
ESE DÍA FUI AL COLEGIO MUY NERVIOSA. ME PREGUNTABA SI LOS DEMÁS SE ENTERARÍAN DE LO DE LA FERIA.

RESPUESTA: SÍ.

ESTO ES UN «RELOJ». ES UN INVENTO MODERNO PARA SABER LA HORA.
JA, JA.
NO ME APETECÍA CONTARLE QUE EN EL MEDIEVO YA **TENÍAN** RELOJES.

ENTONCES, ¿HACES ESGRIMA Y ESO?

Y A VECES TAMBIÉN MALABARES.
¡ESO ES GENIAL!

¿LO VES? **LE GUSTAS.** DESPUÉS DE CLASE LE DAS LA INVITACIÓN.

GLUPS

AL TERMINAR LAS CLASES, HAY UNOS DIEZ MINUTOS ANTES DE QUE LOS BUSES SE VAYAN. NORMALMENTE SUELO MONTARME ENSEGUIDA EN EL BUS, PERO COMO MAMÁ IBA A VENIR A BUSCARME...

PABLO ESTÁ ALLÍ. ¡VE A DÁRSELA!

ESTO... CREO QUE VEO A MI MADRE, TENGO QUE IRME.
TOMA. HAZLO RÁPIDO, COMO SI TE ARRANCARAS UN ESPARADRAPO.

¡MEC MEC!
OH, NO.

¡EH, JOVEN MOMO! ¡HEMOS VENIDO A RAPTAROS DE ESTA FORTALEZA SOMBRÍA DE FORMACIÓN Y ABURRIMIENTO!

?
TOMA.
ZAS

¿QUÉ ESTÁIS **HACIENDO** AQUÍ?
¡NO ME PIERDO UNA EXCURSIÓN AL HIPERMERCADO! ¡NECESITO **SOSTENES** NUEVOS!

AY, POR FAVOR, ¿PUEDES DEJAR DE GRITAR? ¡QUÉ VERGÜENZA!
¿VERGÜENZA? ¡SANTO CIELO, DIOS ME LIBRE DE CAUSARTE **VERGÜENZA!**

¡ADELANTE, BUENA CARROZA! ¡ALÉJANOS DE ESTE LUGAR QUE LAVA LOS CEREBROS DE NUESTROS JÓVENES! ¡ESCUELA, NOS TIRAMOS PEDOS EN TU FACHADA!

MADRE MÍA.
¡RELÁJATE, MOMO! NO PASA NADA.

¡ESO LO DICES PORQUE **TÚ** NO TIENES QUE VOLVER!
HIPER-BARATO

¿VAIS A ENTRAR TODOS?
¿**ASÍ** VESTIDOS?
¡LO HEMOS HECHO MILES DE VECES, MOMO! ¿SE PUEDE SABER QUÉ TE PASA?

PUES DÍMELO TÚ, ¿Y SI ME ENCUENTRO CON ALGUIEN DE LA **ESCUELA?**
VAYA, VAYA, LA SECUNDARIA TE ESTÁ CONVIRTIENDO EN UNA ESTIRADA.

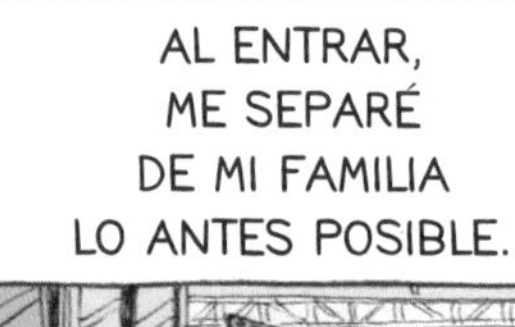
AL ENTRAR, ME SEPARÉ DE MI FAMILIA LO ANTES POSIBLE.

¡VOY A MIRAR ZAPATOS!

EMPEZABA A PREOCUPARME NO ENCONTRAR LO QUE BUSCABA, PERO ENTONCES...

MUJER

¡BIEN!

ME QUEDABAN ALGO PEQUEÑOS, PERO NO ME DOLÍAN MUCHO. SOLO ME ESPACHURRABA UN POCO LOS DEDOS.

¡$ 12.99! ¡MIRA QUÉ GANGA!
AY, MOMO, SI SON DE PÉSIMA CALIDAD. MIRA, LA GOMA YA SE ESTÁ DESPEGANDO DE LA LONETA.

¡NO LES PASA NADA! ¡SON LAS QUE NECESITAMOS PARA GIMNASIA!
MIRA, NO CREO...
¡FÉLIX!

¡NO MUEVAS NI UN MÚSCULO!
Naranjas
1,98$/kg

¡GRACIAS, MAMÁ, ERES LA MEJOR! ¡OS ESPERO FUERA!

CONTEMPLAR MIS SAMMIES NUEVAS EN EL COCHE ME LLENÓ DE ALEGRÍA. SÉ QUE ERAN SOLO UNOS ZAPATOS... PERO, DE ALGUNA EXTRAÑA MANERA, SENTÍA QUE IBAN A RESOLVER TODOS MIS PROBLEMAS.

PELO BRILLANTE
ACTITUD POSITIVA Y SEGURA
¡QUÉ CHICA MÁS SEGURA, ES SÚPER!

AHORA, LOS DÍAS DE FIESTA, ANITA SIEMPRE VENÍA A MI ESCUELA DE CABALLEROS. ERA DIVERTIDO ESTAR CON ELLA.

¡MÍRAME!

CUANDO TENÍAMOS TIEMPO, PRACTICÁBAMOS CON LA ESPADA.

¡DÉJAME PROBAR!

EN MIS DESCANSOS, JUGÁBAMOS AL JUEGO DEL MOLINO.

¡QUIERO JUGAR!

Y AUNQUE A VECES SEGUÍA SIENDO UN **POCO** ANTIPÁTICA...

TENEMOS CINCO DÓLARES CADA UNA. ¿Y SI YO ME COMPRO UNA SOPA EN UN CUENCO DE PAN Y TÚ UNA EMPANADA DE MANZANA Y LO COMPARTIMOS?

NO COMO DULCES A MEDIODÍA. ME COMPRARÉ UN BOCADILLO DE PAVO Y FRUTA.
AYYY...

NO ES QUE FUÉRAMOS LAS MEJORES AMIGAS, PERO SIEMPRE VENÍA A ANIMAR EN EL TORNEO DE AJEDREZ Y LA JUSTA.

EN REALIDAD, NO ENTENDÍA POR QUÉ NO TENÍA AMIGOS EN LA ESCUELA.
¿NO HAS PENSADO EN, NO SÉ, **VESTIRTE** MÁS COMO LAS OTRAS CHICAS DE LA ESCUELA?

RESULTA QUE MAMÁ NO ES LA ÚNICA QUE SABE CLAVARTE **ESA** MIRADA.

VALE, PERDONA, SOLO PREGUNTABA.

ME **PREOCUPABA** UN POCO LO QUE PASARÍA CUANDO CLARA VINIERA A LA FERIA EL DÍA DE SU FIESTA. ¿YO TRABAJARÍA? ¿O IRÍA CON ELLOS? ¿LES PARECERÍA RIDÍCULO MI DISFRAZ?
DECIDÍ DEJAR DE PENSAR EN ELLO POR EL MOMENTO.

¡EH! ¡NIÑOS! ¿QUERÉIS IR A CAZAR UN DRAGÓN? RECORDAD NUESTRAS REGLAS DE CABALLERO: CABALLEROSIDAD, HONESTIDAD, VALENTÍA. Y... ¡VAMOS!

¡ESA ES MI HIJA!
Gemas
NO, NO IBA A PREOCUPARME POR LA FIESTA DE CLARA. TODO IBA ESTUPENDAMENTE, ¿QUÉ PODRÍA SALIR MAL?

CAPÍTULO SIETE

Incluso en la misión más peligrosa puede haber momentos de paz y tranquilidad. El sol te calienta los hombros y la carga parece más ligera... Disfrútalo, porque ten por seguro que no va a durar mucho.

POR UNA VEZ, CASI TENÍA GANAS DE IR A CLASE. AUNQUE MIS ZAPATOS ESTABAN DEMASIADO RELUCIENTES, LLAMABAN LA ATENCIÓN, NO SÉ SI ME EXPLICO.

FRUS
FRUS

SENTÍA QUE MIS ZAPATOS NUEVOS ERAN UN MANTO PROTECTOR, COMO SI ESTUVIERA RODEADA DE UN CAMPO DE FUERZA DE POPULARIDAD.
¡HOLA!
¡HOLA, GUILLERMINA!

ESTO DE LA SECUNDARIA NO ES TAN DIFÍCIL. ES UNA TONTERÍA QUE ANITA NUNCA SE HABLE CON NADIE.

¡HOLA, ANITA!

VAYA, ANITA, ¿POR FIN HAS HECHO UNA AMIGA? ES PORQUE GUILLERMINA ES NUEVA Y NO TE CONOCE.

YA **TE AVISÉ**, GUILLERMINA, DÉJALO.

EN SERIO, NO TE MOLESTES CON ELLA.

LOS ZAPATOS Y YO NOS PUSIMOS FIRMES.

PUES A MÍ ME PARECE MAJA.

NO LO ES. SÉ QUE TODO ESTO DE LA ESCUELA ES NUEVO PARA TI, PERO TIENES QUE HACERME CASO.

POP
ADIÓS A MI BUEN HUMOR...

LA COSA EMPEORÓ.
¿SON NUEVAS?
PUES SÍ. ME COMPRÉ UNAS SAMMIES ESTE FIN DE SEMANA.

LO SIENTO POR TI, PERO ESO NO SON SAMMIES. LAS MÍAS SÍ.
SÍ, Y LAS MÍAS TAMBIÉN.

VES LA ESTRELLA MORADA DETRÁS? ESO SIGNIFICA QUE SON **AUTÉNTICAS**. LAS TUYAS SON UNA COPIA BARATA.

DE REPENTE LA TEMPERATURA SUBIÓ MIL GRADOS. ¡¿CÓMO NO ME HABÍA DADO CUENTA?!

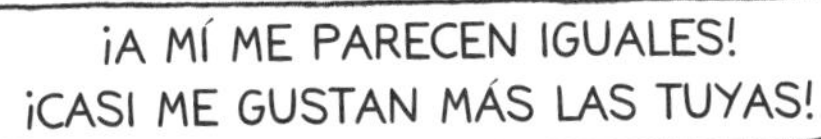
¡A MÍ ME PARECEN IGUALES! ¡CASI ME GUSTAN MÁS LAS TUYAS!

BAH

SAMMIES AUTÉNTICAS Y SAMMIES FALSAS. EJEMPLO 4.064 DE LAS COSAS QUE NO ENTIENDO DE SECUNDARIA.

DUDA 4.065: ¿POR QUÉ A TODO EL MUNDO LE CAÍA TAN BIEN CLARA, SI A VECES PODÍA SER UN BICHO?
GUILLERMINA, AHÍ ESTÁ TU MEJOR AMIGA, ANITA. ¿NO QUIERES SENTARTE CON ELLA?

DUDA 4.066: ¿POR QUÉ ME ESFORZABA TANTO EN CAERLE BIEN A CLARA SI A VECES PODÍA SER UN BICHO?

LISTO. ¡PERFECTO!

AL DÍA SIGUIENTE DESCUBRÍ QUE... DE PERFECTO, NADA.
AY, DIOS, ¿TE HAS **DIBUJADO** ESTRELLAS MORADAS EN LOS ZAPATOS? ES LO MÁS RIDÍCULO QUE HE VISTO EN LA VIDA.

DUDA 4.067: ¿POR QUÉ TODO SE HABÍA TORCIDO TAN DEPRISA? **EMPEZABA** A HACER AMIGOS, PERO AHORA ESTABA SEGURA DE QUE LO HABÍA FASTIDIADO TODO.

¿QUÉ HA **PASADO?**
ASCO DE ZAPATOS.
IGUAL ERA NUEVA, PERO HASTA **YO** ME DABA CUENTA DE QUE LA COSA NO ME IBA MUY BIEN EN MATERIA DE AMIGOS.

POR DIFÍCIL DE CREER QUE PAREZCA, EL DÍA EMPEORÓ. ¿CÓMO? SI HAS PENSADO «CLASE DE CIENCIAS», 100 PUNTOS PARA TI.
HOY APRENDEREMOS LOS SÍMBOLOS DE LOS PLANETAS TAL Y COMO FUERON DESCRITOS POR PRIMERA VEZ EN CÓDICES BIZANTINOS MEDIEVALES.

Trabajad con un compañero para identificar los símbolos.

AY, AY... NO ME SONRÍE. ¿LE DIO VERGÜENZA QUE LE DIERA LA INVITACIÓN? ¿SE HA ENTERADO DE LO DE LOS ZAPATOS? ¿ES QUE YA NO LE CAIGO BIEN? IGUAL NO LE HE CAÍDO BIEN **NUNCA.** ¿Y SÍ...?

BUENO, CREO QUE EL PRIMERO ES LA LUNA.
AH, JE, JE. Y EL SEGUNDO ES NEPTUNO.

Esto es
un rollo

JI, JI, JI.
JI, JI, JI.

¡Llamadme DOCTOR Rodríguez!

¡Llamadme DOCTOR Rodríguez!
Pedo

JE, JE.

LA CLASE ESTABA EN SILENCIO. TANTO SILENCIO...
NO TE RÍAS.
NO TE RÍAS.

¡¡JA, JA, JA, JA, JAAA!!

¡JO, JO, JO! JE...

YA VEO QUE ESTOS TORTOLITOS NO PUEDEN ESTAR JUNTOS, ASÍ QUE VOY A SEPARARLOS. SEÑORITA VEGA, CÁMBIESE DE SITIO CON EL COMPAÑERO DE ATRÁS, POR FAVOR.

USTEDES DOS VAN A HACER UN TRABAJO SOBRE UN ASTRÓNOMO FAMOSO Y LO PRESENTARÁN EN CLASE DENTRO DE TRES SEMANAS. SEÑOR LÓPEZ, USTED LO HARÁ SOBRE GALILEO GALILEI. SEÑORITA VEGA, USTED, SOBRE NICOLÁS COPÉRNICO.

LOS DEMÁS, A LEER
EL CAPÍTULO 5 EN SILENCIO.
TOMEN APUNTES, PORQUE SALDRÁ
EN EL EXAMEN DEL LUNES.

VAYA SÍ TOMÉ APUNTES.
UNOS APUNTES
IMPORTANTÍSIMOS. CREO
QUE LOS MEJORES DE MI VIDA.

Mal
aliento
Apestoso
Zapatos
ortopédicos
DOCTOR
Rodriguez

EN LA CAFETERÍA, VOLVÍ A SENTIRME COMO EL PRIMER DÍA
DE CLASE. NO SABÍA SI SENTARME EN LA MESA DE CLARA,
SEGUÍA MIRÁNDOME MAL. POR ENÉSIMA VEZ ESE DÍA, QUISE
QUE ME TRAGARA LA TIERRA Y DESAPARECER.

¡EH! ¡RARITA! ¡VEN! VAIS
A VER QUÉ DIBUJO HA HECHO
DEL DOCTOR RODRÍGUEZ.

NO ES
NADA, EN
SERIO...
PERO SAQUÉ LA LIBRETA
DE TODAS FORMAS.

¡GUAU!
¡ES **CLAVADITO** A ÉL! Y YO LE HE OLIDO EL ALIENTO DE CERCA, ASÍ QUE LO SÉ PERFECTAMENTE.
HAY QUE VER, LO HACES GENIAL.
¿QUIZÁ... AQUELLO FUNCIONARA? ¡PUEDE QUE, EN REALIDAD NO ME ODIARAN TODOS!

DÉJAME VER.
NO PUEDE SER. NO LO HAS DIBUJADO TÚ.
PUES **SÍ**.

VALE, PUES DIBUJA A LA SEÑORA SOSA.
VALE.

¡DIBUJA AL SEÑOR MORA!
¡Y AHORA, A LA SEÑORITA JIMÉNEZ!
ES COMO UNA DIBUJANTE PROFESIONAL.
¡VENID A VER LO BIEN QUE LO HACE!
DEBO ADMITIR QUE ERA AGRADABLE SER EL CENTRO DE ATENCIÓN POR UNA RAZÓN POSITIVA.

¡DIBUJA A PEDRO LUCAS!
Pedro L.
FOOTBALL
¡QUÉ FÁCIL! ES EL TROL QUE SIEMPRE SE METE CON LOS PEQUEÑOS EN EL PATIO.

Y AHORA, ¡A MIGUEL GARRIDO!
¡RAÚL MORENO!

TENGO UNA IDEA: DIBUJA A ANITA WALKER.

AH, ES QUE... CREO QUE ME VOY A COMER, SOLO QUEDAN CINCO MINUTOS.
VA, VENGA, QUE TE LO PIDO YO. **¿PORFIIII?**

ME SENTÍ FATAL AL HACERLO... PERO SEGURO QUE ANITA NUNCA VERÍA EL DIBUJO.
Anita
NO, TIENE EL PELO MÁS FEO.
¡¡RRRRRIIIIINNNGGG!!

FUI A CLASE RODEADA DE GENTE, PERO...
¿... POR QUÉ ME SENTÍA TAN SOLA?

NORMALMENTE, LA FERIA ME AYUDA A OLVIDARME DE TODO LO DEMÁS. PERO ME COSTABA OLVIDARME DE LOS PROBLEMAS DEL COLEGIO. TODO SE ESTABA PONIENDO MUY NEGRO Y FEO Y COMPLICADO.

¿LE CAIGO BIEN A CLARA? ¿O MAL? ¿QUIERO SER AMIGA SUYA? ME INVITÓ A SENTARME CON ELLA EL PRIMER DÍA DE CLASE... **Y** A SU CASA... **Y** A SU CUMPLEAÑOS. PERO TODO AQUELLO DE LAS SAMMIES...

PERO LUEGO HICE LOS DIBUJOS Y PARECIÓ QUE VOLVÍA A CAER **BIEN** A TODO EL MUNDO.
¿TENGO **MUCHOS** AMIGOS? ¿O **NINGUNO?**
¿Y SI NO LE CAIGO BIEN A NADIE?
¡MOMO!
¡AAAAGH!
¡MIRA CÓMO GANO AL MAGO! ¡VOY A LLEGAR AL NIVEL 7!
¡NO, FÉLIX! DÉJAME EN PAZ, ESTOY OCUPADA.

¡ERES UNA ABURRIDA! NO ESTÁS OCUPADA, ¡NO ESTÁS HACIENDO NADA!
¡VETE, FÉLIX!

¡YAAAAAA!
ESCUELA C.A.M.

¡AAARGH! ¡QUÉ PESADO!
ESCUELA C.A.M.

BUEN DÍA, GUILLERMINA.
ESCUELA C.A.M.
AH, SÍ, POR NO HABLAR DE QUE SEGUÍA SINTIÉNDOME FATAL POR EL DIBUJO QUE HICE DE ANITA. AUNQUE ELLA NO FUERA A VERLO, FUE MEZQUINO POR MI PARTE. ¿POR QUÉ LE HICE CASO A CLARA?

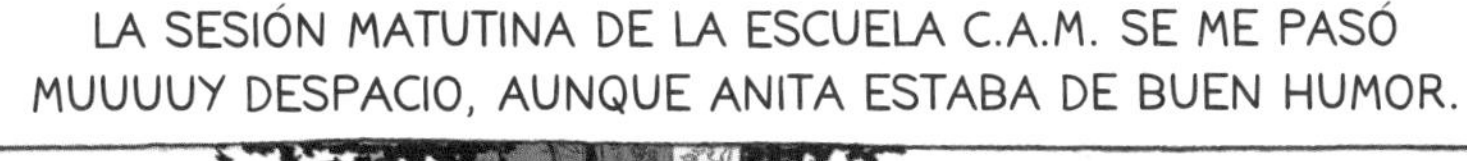
LA SESIÓN MATUTINA DE LA ESCUELA C.A.M. SE ME PASÓ MUUUUY DESPACIO, AUNQUE ANITA ESTABA DE BUEN HUMOR.

AHORA BLOQUEA LA IZQUIERDA Y... ¡SÍ, YA LO TIENES! ¡BIEN HECHO, FÉLIX!

POR FIN LLEGÓ EL MEDIODÍA Y CON ÉL, EL DESFILE. QUIZÁ ME DISTRAERÍA Y POR UN RATO DEJARÍA DE SENTIRME CULPABLE/NERVIOSA/CON GANAS DE VOMITAR.

EL DESFILE TERMINA EN EL TABLERO DE AJEDREZ PARA QUE LA GENTE SE QUEDE A VER EL TORNEO. ME COLOQUÉ EN MI CASILLA DE SIEMPRE Y ESPERÉ QUE LA REINA DIERA COMIENZO AL TORNEO.

CON PERDÓN, DAMA GUILLERMINA.

TAL VEZ NO ME CONOZCÁIS, SOY EL PADRE DE ANITA.
AH, HOLA. DIGO... BUEN DÍA, SEÑOR.

QUISIERA DAROS LAS GRACIAS, DAMISELA. HACE TIEMPO QUE ANITA NO ME HABLA DE SUS AMIGOS... ME ALEGRO DE QUE POR FIN HAYA ENCONTRADO UNA AMIGA DE SU EDAD.
MADRE MÍA. ¿QUÉ SE DICE CUANDO UN ADULTO TE CUENTA ALGO VERGONZOSO SOBRE SUS HIJOS?

ESTO...
OS DEJARÉ CON VUESTRAS TAREAS. PERO OS DOY LAS GRACIAS POR HACER FELIZ A MI HIJA. SOIS DIGNA SERVIDORA DE VUESTRA FAMILIA Y VUESTRO REINO.

Y YO QUE CREÍA QUE YA NO PODÍA SENTIRME PEOR. ME SENTÍ FATAL TODO EL DÍA...

Y POR LA NOCHE ME COSTÓ MUCHO DORMIRME.
NI UNA ESTRELLA.

ESTABA TAN NERVIOSA PENSANDO EN VOLVER A LA ESCUELA EL LUNES QUE EL DOMINGO NO DISFRUTÉ NADA DE LA FERIA.
¡EH! ¡MOMO! ¡DIGO QUE SI QUIERES UNA EMPANADA DE MANZANA!
LETRINAS
NO, GRACIAS, NO TENGO HAMBRE.

AY, MADRE, ¿SERÁ LA PESTE? ¡RÁPIDO, A POR LAS SANGUIJUELAS!

NO ES NADA, ES SOLO QUE...

HAY UNA CHICA EN CLASE...
UN MOMENTO.

VAMOS A PONERNOS CÓMODAS.

VAMOS, SIGUE: HAY UNA CHICA EN CLASE...
BUENO, PUES LE DICE A TODO EL MUNDO LO QUE TIENE QUE HACER. Y A VECES ES MAJA, PERO OTRAS, NO. Y OTRAS VECES, HACE QUE... LOS DEMÁS HAGAN COSAS... QUE NO ESTÁN BIEN.

¿Y POR QUÉ NO LE PLANTAS CARA? DILE QUE ES UNA PETIMETRE Y QUE SE DEJE DE TONTERÍAS.

CLARA, ERES UNA PETIMETRE.
¡JA!
¡JA!
A VECES LOS CONSEJOS DE LOS ADULTOS SON **LO PEOR.**

SI LE PLANTO CARA ME QUEDARÉ SIN AMIGOS. NO SÉ QUÉ HACER.

BUENO, YO PIENSO QUE ES UNA ABUSONA Y NO TE MERECE.
AY...

¡EH! ¡CABALLERO JORGE! ¿QUÉ HACE UN GRAN SEÑOR COMO USTED CUANDO SE ENCUENTRA CON UN ABUSÓN?

¿UN ABUSÓN? OS CONTARÉ LO QUE HAGO CON LOS ABUSONES...

¿VA TODO BIEN EN EL COLEGIO? ¿NO TE ESTARÁN ACOSANDO?
TENDRÍA QUE HABERME QUEDADO CALLADITA.

LA PRÓXIMA VEZ QUE TE ENCUENTRES CON ESE ABUSÓN, ¡DESENFUNDA LA ESPADA! ¿NO ENTRENAS PARA SER UN CABALLERO?

¿CREES QUE DEJAN A LOS NIÑOS LLEVAR ESPADAS A CLASE, TONTAINA? ¿EN QUÉ SIGLO VIVES? NO, MIRA, TE DIRÉ LO QUE TIENES QUE HACER: ¿PUEDES CONSEGUIR UN MONTÓN DE PLUMAS DE POLLO Y VARIOS TARROS DE MIEL?

SÍ, LES HACÍA MUCHA GRACIA, CLARO, COMO NO LES ESTABA PASANDO A **ELLOS**...

Capítulo Ocho

Todo caballero andante debe enfrentarse a pruebas y tribulaciones en su camino hacia la luz. Por desgracia, nuestra heroína está a punto de enfrentarse a unas pruebas y tribulaciones durísimas. Puede que esta vaya a ser la peor semana de su vida. ¿Acaso no me creéis? Pues ahora lo veréis.

Lunes
MIENTRAS ME PREPARABA PARA IR A CLASE, PENSÉ EN LOS CONSEJOS QUE ME HABÍAN DADO. NO HAGAS CASO A LOS ABUSONES. SÉ TÚ MISMA.

¿CÓMO VOY A SABER CÓMO SER «YO MISMA»? ¡SI NUNCA ANTES HABÍA IDO A SECUNDARIA!

¡NO TENGO NADA QUE **PONERME!**

LOS MAYORES SIEMPRE TE DICEN QUE DA IGUAL LO QUE PIENSEN LOS DEMÁS. CLARO, LO DICEN PORQUE ELLOS NO VAN A LA ESCUELA.
PUM
YO VEÍA LO QUE LES PASABA A LOS QUE NO TENÍAN AMIGOS.

¡HOLA, GUILLERMINA! ¿HAS HECHO MÁS DIBUJOS ESTE FIN DE SEMANA?

HAY GENTE A LA QUE SÍ QUE CAIGO BIEN. LA SITUACIÓN ERA CRÍTICA, PERO AÚN PODÍA SALVARLA... PODÍA EMPEZAR DE NUEVO. VALÍA LA PENA PROBARLO.

EN CLASE, TOMÉ APUNTES MUY IMPORTANTES PARA MI PLAN.

EMPEZARÍA CON UN DISFRAZ. DESPUÉS DE CUATRO SEMANAS DE TRABAJO, TENÍA OCHENTA DÓLARES. ESO DARÍA PARA MUCHO.

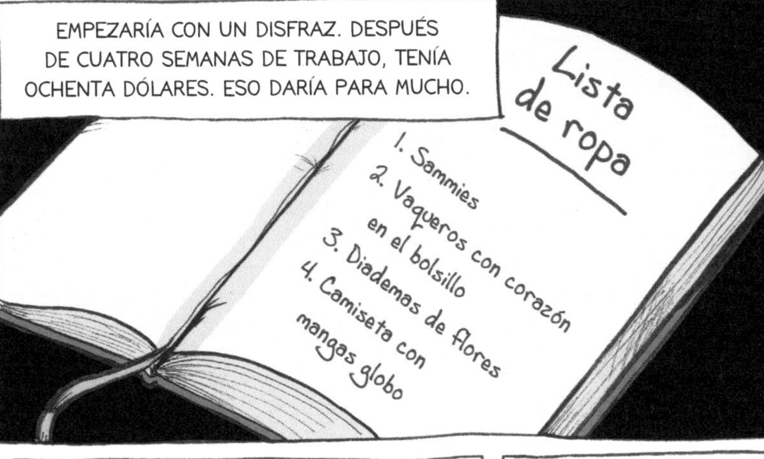
Lista de ropa
1. Sammies
2. Vaqueros con corazón en el bolsillo
3. Diademas de flores
4. Camiseta con mangas globo

SEÑORES, QUEDAN CINCO MINUTOS PARA ENTREGAR EL EXAMEN.

¡DIABLOS!

A, B, C, D. A, B, C, D. YA ESTÁ.

AL SALIR DE CLASE, PUSE POR ESCRITO UNA LISTA DE ARGUMENTOS MUY CONVINCENTES E HICE UN RÁPIDO CÁLCULO MENTAL.

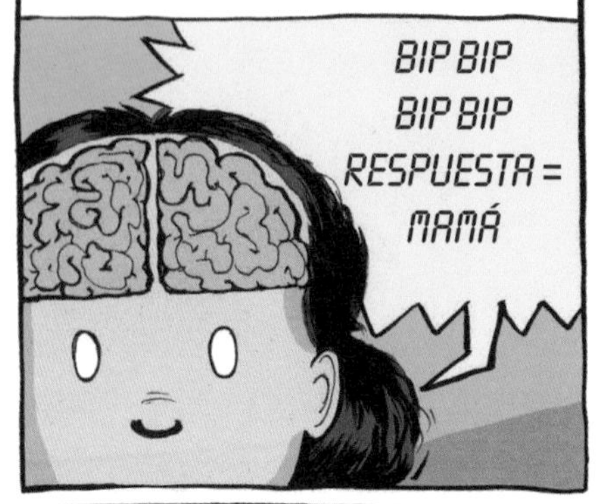
BIP BIP
BIP BIP
RESPUESTA =
MAMÁ

LE PRESENTÉ MIS ARGUMENTOS TAN PRONTO COMO LLEGÓ A CASA.

¡MAMÁ!
¡AAAAGH!

NECESITO QUE ME LLEVES AL CENTRO COMERCIAL POR LOS SIGUIENTES MOTIVOS:

UNO, TENGO MI PROPIO DINERO, ASÍ QUE NO TENDRÁS QUE PAGAR NADA.

DOS, NECESITO VAQUEROS Y CAMISETAS NUEVAS. EN CLASE HACE MUCHO FRÍO.

TRES, NECESITO ROPA UN POCO MÁS MODERNA. SÉ QUE HACE AÑOS QUE **TÚ** NO VAS A CLASE, PERO HOY EN DÍA LAS NIÑAS LLEVAN OTRA ROPA..

CUATRO...

¡MOMO! ¡VALE! NO SOY UN VEJESTORIO, RECUERDO LO QUE ES IR A SECUNDARIA. TE LLEVARÉ AL CENTRO COMERCIAL.

¡BIEN! ¡VOY A POR PAPÁ Y FÉLIX!

¿SABES QUÉ? VAMOS A HACER UNA EXCURSIÓN DE CHICAS. TÚ Y YO SOLAS.

¿EN SERIO? ¡VALE!

NORMALMENTE, FÉLIX REQUIERE MUCHA ATENCIÓN... POR ESO NO TENGO MUCHAS OCASIONES DE ESTAR A SOLAS CON MAMÁ.

¡LA VERDAD ES QUE ESTÁ MUY BIEN!

COMPRAMOS PRETZELS ALEMANES DE CANELA, QUE, EN MI OPINIÓN, SON LO MÁS DELICIOSO DEL MUNDO.

¡MMMMM!

MAMÁ ME CONTÓ COSAS DE SU PRIMER NOVIO.

¡DANIEL VILLA! TENÍA UNOS OJOS VERDES PRECIOSOS...

¡MAMÁ! ¡QUE ERES UNA MUJER CASADA!

ANDA YA. DE ESTO HACE TREINTA AÑOS. TU PADRE NO TIENE DE QUÉ PREOCUPARSE.

¿Y SI TE HUBIERAS **CASADO** CON DANIEL VILLA? ¿QUÉ HABRÍA PASADO?

QUE PROBABLEMENTE TENDRÍAS LOS OJOS VERDES Y VIVIRÍAS EN MINNESOTA.

VAYA... QUÉ RARO.

ESTABA LA MAR DE RELAJADA DESPUÉS DE COMERME EL PRETZEL, Y ENTONCES MAMÁ ATACÓ.
HABLANDO DE NOVIOS... QUIERO HABLAR CONTIGO DE UNA COSA.

GLUPS

NO ES QUE QUISIERA **FISGAR,** PERO ESTABA ORDENANDO TU HABITACIÓN Y ENCONTRÉ... UN LIBRO.

Amor de Verano
¡DIABLOS!

QUIERO QUE SEPAS QUE ES DE LO MÁS NORMAL TENER CURIOSIDAD A TU EDAD, Y...
¡EL LIBRO NO ES MÍO! ¡ES DE **CLARA!** ¡ME LO METIÓ EN LA MOCHILA POR ERROR!

CLARA... ¿NO FUISTE A SU CASA LA SEMANA PASADA? ME GUSTARÍA CONOCERLA, HABLAR CON SUS PADRES... ¿TAMBIÉN ES AMIGA DE ANITA? ¿TENÉIS UN GRUPITO?
MI MADRE NO SE ENTERABA.

LO QUE QUIERO DECIR ES QUE SI TE DAN INFORMACIÓN ERRÓNEA SOBRE EL SEXO...
¡MAMÁ!

... SI HAY ALGO QUE QUIERAS SABER, PUEDES PREGUNTÁRMELO A MÍ, ¿VALE?
FIU
¡VALE! ¿PODEMOS IRNOS? **¿YA?**

MORIRÉ FELIZ SI NUNCA VUELVO A OÍR A MI MADRE PRONUNCIAR LA PALABRA «SEXO».
15%
descuento
INTENTÉ PERDERME RÁPIDAMENTE ENTRE LAS PERCHAS DE VAQUEROS.

TENÍA OCHENTA DÓLARES EN EL BOLSILLO Y MUCHAS GANAS DE GASTARLOS. CONSULTÉ MI LISTA: VAQUEROS CON UN CORAZONCITO EN EL BOLSILLO TRASERO...
AH, AQUÍ ESTÁN...

¡¿$ 110?!
¡¿CÓMO?!
$110.00

$ 80... $ 65... $ 75... ¡NO PUEDO PERMITIRME NADA DE TODO ESTO!

¿MAMÁ...? ¿PODRÍAS...?
MOMO... NO ME IMPORTA COMPRARTE ROPA, PERO $ 110 POR UNOS VAQUEROS ME PARECE ABSURDO. SOBRE TODO CUANDO TE QUEDARÁN PEQUEÑOS EN UNOS MESES.

YA LO SÉ.
SABÍA QUE ERA ABSURDO. QUE DABA IGUAL QUÉ VAQUEROS LLEVARA. QUE NO TENDRÍA QUE IMPORTARME LO QUE LOS DEMÁS PENSARAN DE MI ROPA.
PERO **QUERÍA ESOS VAQUEROS.**

TENGO UNA IDEA. VEN.

¿LA TIENDA DE SEGUNDA MANO?
Super Gangas
ENTRA Y VERÁS. CONFÍA EN MÍ.

EN LA TIENDA OLÍA RARO. Y ESTABA OSCURO, Y NO ERA TAN CHULO COMO EL CENTRO COMERCIAL. PERO ENTONCES...

¿NO SON ESTOS LOS VAQUEROS QUE QUERÍAS? SON DE TU TALLA.

SÍ... ¿SEIS DÓLARES?

TIENEN UNA MANCHITA DE PINTURA EN LA PERNERA...

ME DABA IGUAL. POR SEIS DÓLARES PODÍA SOPORTAR UN POCO DE PINTURA. ¡SERÍA LA MEJOR VESTIDA DEL INSTITUTO!

ME LLEVÉ UN MONTÓN DE COSAS DE MI LISTA. HASTA ENCONTRÉ UNAS SAMMIES AUTÉNTICAS.

Gracias
... Y $ 16,42 PARA TI.

BUENO, ¿TENÍA YO RAZÓN O NO?
GUIÑO
SUPONGO... GRACIAS, MAMÁ.
Gracias

TODO EL MUNDO DECÍA QUE YO ERA CLAVADA A MI PADRE. PERO A VECES... MAMÁ TAMBIÉN ME ENTENDÍA LA MAR DE BIEN.

Martes
TOC
TOC
¿GUILLERMINA? TU HERMANO TIENE QUE IR AL BAÑO. ¿HAS VISTO LA ROPA QUE TE HE DEJADO EN LA PUERTA? ANOCHE LAVÉ TU ROPA NUEVA.

¡SÍ! ¡YA SALGO!
VAMOS ALLÁ...

MENUDO CAMBIO DE IMAGEN. ¿VAS A PREESCOLAR?
CALLA, HUGO. ESTÁS MUY GUAPA, GUILLERMINA.

GRACIAS, MADRE. ES MI *LOOK* DE «PERSONA NORMAL DE UNA FAMILIA NORMAL».

BUENO... ¡OS VEO LUEGO!

ROPA NUEVA: DE MOMENTO, TODO BIEN.

¡A VER SI CLARA SE ATREVE A DECIRME ALGO DE LA ROPA!
BUENOS DÍAS, CLARA.
HOLA, GUILLERMINA. ¿ROPA NUEVA?

¡PUES **SÍ**, MIRA POR DÓNDE!

NO SÉ CÓMO DECÍRTELO, PERO... NO ESTÁ BIEN COPIARLES LA ROPA A LOS DEMÁS.
¿CÓMO?

VAS CASI IGUALITA QUE PAULA Y YO. NO TIENES QUE COPIAR A LA GENTE.

LLEVABA SEMANAS CALLADA, NERVIOSA Y ATEMORIZADA POR CLARA. INTENTABA HACERLO TODO BIEN, PERO NO ERA SUFICIENTE.

PUEDE QUE NO FUERA BUENA IDEA, PERO YA ESTABA HARTA DE CLARA Y SUS REGLAS. NO PUEDE CONTENERME.
ME ENFRENTÉ AL DRAGÓN.

PRIMERO TE RÍES DE MI ROPA PORQUE ES DIFERENTE, Y AHORA TE RÍES DE MI ROPA PORQUE ES IGUAL A LA TUYA. ¿EN QUÉ QUEDAMOS?
¡TOOOOMAAAAAA!

YO SOLO **DIGO** QUE TIENES QUE ENCONTRAR TU PROPIO ESTILO. NO TIENES QUE COPIAR A LOS DEMÁS PARA ENCAJAR.

ESOS VAQUEROS, POR EJEMPLO, LOS LLEVA **TODO** EL MUNDO. YO TENÍA UNOS IGUALES EL AÑO PASADO, PERO LOS REGALAMOS CUANDO ME LOS MANCHÉ DE PINTURA.

OH, OH...

ESPERA... YO TENÍA UNOS IGUALITOS. ¿DÓNDE LOS HAS COMPRADO?
EN... EL CENTRO COMERCIAL.

LOS MÍOS TENÍAN UNA MANCHITA DE PINTURA EN FORMA DE CORAZÓN. DÉJAME VER LA PERNERA.
¡VEO UN CORAZÓN! ¡VEO UN CORAZÓN!

¿SON MIS VAQUEROS VIEJOS? ¿LOS QUE DONÉ A LA BENEFICENCIA? ¿ERES POBRE, O ALGO?
¡NO!

NO ME CREO QUE LLEVES PUESTOS MIS VAQUEROS VIEJOS. ¡PUAJJ, QUÉ ASCO ME DA! DÉJAME QUE LO COMPRUEBE.

¡NO ME TOQUES! ¡DÉJAME EN PAZ!
¡AY! ¡ME HAS DADO UNA PATADA CON ESOS ZAPATOS ASQUEROSOS DE SEGUNDA MANO!

... YA ESTOY MUERTA. MUERTÍSIMA.

ESTO NO LO SUPERARÍA NUNCA. NUNCA. NUNCA JAMÁS.

LO SIENTO, PERO SI NO TIENES FIEBRE NI ESTÁS VOMITANDO, NO PUEDO MANDARTE A CASA.
PERO TENGO GANAS DE VOMITAR, ¿ESO NO CUENTA?

...
BUENO, PERO... ¿NO TENDRÁ OTROS PANTALONES QUE PUEDA PONERME?

VAYA, VAYA... ¿ESTÁS EN TUS DÍAS?
¡NO! ¡ES QUE **TENGO QUE QUITARME ESTOS VAQUEROS!**

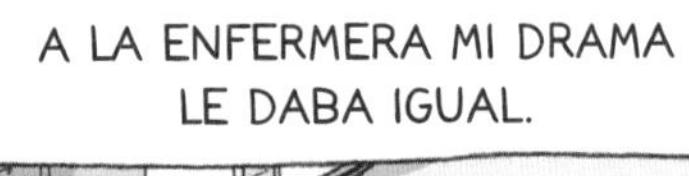
A LA ENFERMERA MI DRAMA LE DABA IGUAL.

CLARA DEBIÓ DE CORRER LA VOZ, PORQUE NADIE ME DIRIGIÓ LA PALABRA EN TODO EL DÍA. LA GENTE ME MIRABA LOS PANTALONES Y SE ECHABA A REÍR.

EL DRAGÓN HABÍA GANADO LA BATALLA.

CONSEGUÍ SOBREVIVIR AL RESTO DEL DÍA...

... Y AL TRAYECTO EN AUTOBÚS...

... Y AL CAMINO A CASA.

¡BLAM!
¡AH! ESOS DULCES SONIDOS DEBEN DE SIGNIFICAR QUE MI AMADA HIJA HA REGRESADO.

¿QUÉ? ¿HAS TRIUNFADO CON TU ROPA NUEVA? ¿HA GUSTADO TU *LOOK* DE NIÑITA BUENA?
¡A TI TODO TE PARECE UN CHISTE! ¡NO TIENE **GRACIA!**

¿GUILLERMINA, QUÉ TE PASA? ¿QUÉ HA PASADO?

TODOS SE HAN DADO CUENTA DE QUE ERAN DE SEGUNDA MANO. DICEN QUE SOMOS POBRES.
AY, CARIÑO. VEN AQUÍ.
NO SE EQUIVOCAN, ES QUE SOMOS POBRES.

¡QUE NO TIENE GRACIA! ¿POR QUÉ NO PODÉIS TENER TRABAJOS NORMALES PARA COMPRAR ROPA EN TIENDAS NORMALES COMO LA GENTE NORMAL?
CUANDO SEAS MAYOR PODRÁS TENER TODOS LOS TRABAJOS NORMALES QUE QUIERAS.

SÍ, PUEDES SER DENTISTA, O ABOGADA, O... ¡OOOH, CONTABLE! ¡PODRÍAS HACERNOS LA DECLARACIÓN DE LA RENTA!
¡JA!
¡JA!

¡NO TENÉIS NI IDEA DE TRABAJOS NORMALES! ¡TÚ NO TIENES NI UN TRABAJO DE VERDAD! ERES UN PISCINERO.

EH, GUILLERMINA, CÁLMATE.

NI SIQUIERA VIVIMOS EN UNA CASA NORMAL, SINO EN ESTE APARTAMENTO...

YA VALE, GUILLERMINA.

CON UN COCHE QUE CASI NO FUNCIONA, Y TÚ NI SIQUIERA ERES UN ACTOR DE VERDAD, ESTÁS EN UNA FERIA MISERABLE QUE, EN REALIDAD...

GUILLERMINA, A TU HABITACIÓN. **¡YA!**
¡VALE!

¡BLAM!

A MIS PADRES LES DABA IGUAL VIVIR EN UN MUNDO DE FANTASÍA. PERO NO PODÍAN OBLIGARME A MÍ TAMBIÉN.

ODIO !!!!!
OS **ODIOS**
ODIO
ODI
ODIO

Miércoles

CREO QUE MI FAMILIA QUERÍA CASTIGARME CON SILENCIO, PORQUE A LA MAÑANA SIGUIENTE, MI MADRE SOLO ME DIJO CUATRO PALABRAS.
HOY NO VOY AL INSTITUTO.

PUES CLARO QUE VAS.

Y CLARO QUE FUI.
AUTOBÚS ESCOLAR

EN LA ESCUELA, NADIE ME DIJO NADA. SOLO ANITA ME MIRÓ, Y SU SONRISITA ERA TRANSPARENTE.
«TE DIJE QUE ESAS NIÑAS NO ERAN TUS AMIGAS.»

MI PRIMERA INTERACCIÓN PERSONAL DEL DÍA FUE EN CLASE DE CIENCIA, YA PODRÁS SUPONER QUE NO FUE NADA BUENO.
FUI A PONER MI EXAMEN «FIRMADO» EN LA MESA DEL DOCTOR. SEGUÍA FALSIFICANDO LA FIRMA, AHORA NO PODÍA CAMBIARLA. AL VOLVER A MI ASIENTO...

POR FAVOR, ABRAN LOS LIBROS POR LA PÁGINA 88.

¿CÓMO...?

¿PASA ALGO, SEÑORITA VEGA?
MI MOCHILA HA DESAPARECIDO. LA TENÍA AQUÍ.

¿ALGUIEN HA VISTO LA MOCHILA DE LA SEÑORITA VEGA?
CRII CRII
CRII CRII

COMPARTA EL LIBRO DE SU COMPAÑERO HASTA QUE APAREZCA SU MOCHILA. ESTOY CONVENCIDO DE QUE APARECERÁ.

EJEM
EJEM

LO BUENO: ENCONTRÉ MI MOCHILA DESPUÉS DE CLASE.

¿LO MALO?
AGENDA, ARCHIVADOR, ESTUCHE... CREO QUE ESTÁ TOD...

OH, NO.
ME DIERON GANAS DE VOMITAR DE VERDAD.
FALTABA MI DIARIO.

Jueves
NO PASÓ NADA ESPECIALMENTE MALO,
A PARTE DE QUE TODO EL MUNDO ME IGNORARA.
PERO LO PEOR ESTABA POR LLEGAR EL VIERNES.

Viernes
TARDÉ UNOS MINUTOS PARA
ENTENDER LO QUE ME ENCONTRÉ
EN EL PASILLO.

Anita

Anita

Anita

ANITA, YO...

SEÑORITA VEGA, AL DESPACHO DE LA SUBDIRECTORA.

YO NO ME DEDICARÍA AL DIBUJO, POR CIERTO, NO SE PARECE EN NADA A MÍ.
Apestoso
Mal aliento
Zapatos ortopédicos
DOCTOR
MacGregor

INTENTÉ AGUANTARME LAS LÁGRIMAS SENTADA EN AQUELLA SILLA DE PLÁSTICO. INTENTÉ AGUANTARME LAS LÁGRIMAS MIENTRAS OÍA CÓMO LA SECRETARIA LLAMABA A MIS PADRES.

INTENTÉ NO LLORAR MIENTRAS ESPERABA CON ELLOS.

MOMO, ¿POR QUÉ NO NOS CUENTAS QUÉ PASA?

SEÑOR Y SEÑORA VEGA. GUILLERMINA. ENTREN, POR FAVOR.

SEÑORITA CASTRO, **¿QUÉ** HA PASADO?
Espera tu turno
ME TEMO QUE HEMOS DETECTADO UN EPISODIO DE ACOSO ESCOLAR. Y EL CENTRO TIENE UNA POLÍTICA DE CERO TOLERANCIA ANTE EL ACOSO.

OH, NO. ES TERRIBLE. SABÍA QUE HAY NIÑOS QUE SE METEN CON MOM-- GUILLERMINA POR SU ROPA, PERO NO SABÍA QUE HABÍAMOS LLEGADO A ESTE EXTREMO. ¿VAN A CASTIGAR A LOS NIÑOS QUE LA ACOSAN?

ME TEMO QUE NO ME EXPLICO BIEN. ES **SU HIJA** LA QUE ESTÁ ACOSANDO.

¿GUILLERMINA? NO. DEBE DE HABER UN ERROR.
ESTA MAÑANA ENCONTRAMOS ESTOS DIBUJOS EN EL PASILLO DE PRIMERO.

¿ESTO LO HAS **DIBUJADO** TÚ, GUILLERMINA?

¿QUÉ OTRA COSA IBA A DECIR?
SÍ.
¡PERO YO NO LOS PEGUÉ EN LAS TAQUILLAS! ¡ALGUIEN LO HIZO PARA FASTIDIARME!

MAMÁ SIGUIÓ HOJEANDO MIS DIBUJOS
COMO SI NO PUDIERA CREER LO QUE VEÍA.

ESTO ES MUY MEZQUINO, GUILLERMINA. TÚ NUNCA HAS SIDO ASÍ.
NO LO ENTIENDO... ¿ESTA ES ANITA? CREÍA QUE ERAIS **AMIGAS.**

TENEMOS PRESENTE QUE A GUILLERMINA LE ESTÁ COSTANDO ADAPTARSE A LA ESCOLARIZACIÓN. COMO SABEN, ESTÁ SUSPENDIENDO CIENCIAS...
¿CÓMO DICE?

AQUÍ TENEMOS SUS EXÁMENES FIRMADOS POR USTEDES.

ESTO NO LO HEMOS FIRMADO NOSOTROS.
UNA QUIETUD EXTRAÑA LLENABA LA OFICINA, COMO SI FUERA A ESTALLAR UNA TORMENTA.

GUILLERMINA, ¿PUEDES EXPLICARNOS **QUÉ** ESTÁ PASANDO?
NO PODÍA HABLAR, ESTABA A PUNTO DE AHOGARME. ASENTÍ Y ESPERÉ QUE ACABARA TODO.

ESPERÉ MIENTRAS LA ORIENTADORA ESCOLAR DECÍA QUE ME EXPULSABAN TRES DÍAS.

ESPERÉ A QUE PAPÁ Y MAMÁ ME LLEVARAN A CASA.
GRACIAS POR QUEDARTE CON ÉL TAN DE IMPROVISO, BERTA.

¿QUÉ HA PASADO?

ESPERÉ A QUE ME DEJARAN SOLA EN MI HABITACIÓN.

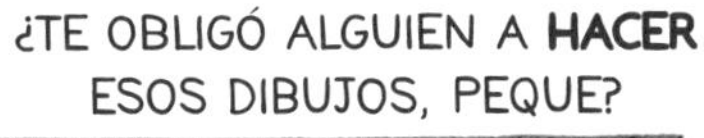
¿TE OBLIGÓ ALGUIEN A **HACER** ESOS DIBUJOS, PEQUE?

SOLO QUEREMOS QUE NOS CUENTES LO QUE PASA, CIELO.
PARECÍAN CONFUNDIDOS Y... **DECEPCIONADOS.**

YO NO QUERÍA SER MEZQUINA.
¿CÓMO IBA A EXPLICARLES LO QUE PASABA... SI NI YO MISMA LO ENTENDÍA DEL TODO?

¿QUÉ PASA?
¿POR QUÉ LLORA MOMO?

TU HERMANA TIENE
QUE PENSAR UN POCO.
VAMOS A DEJARLA
SOLA UN RATO.

OÍA A MIS PADRES HABLAR
EN LA COCINA. SE HIZO
DE NOCHE, PERO NADIE VINO
A BUSCARME PARA CENAR.

¿MOMO? TE DEJO MI
CONSOLA, SI QUIERES.

OJALÁ TUVIÉRAMOS PERRO...
UN PERRO ME SEGUIRÍA
QUERIENDO.
ME QUEDÉ TUMBADA EN LA CAMA
MIRANDO AL CIELO SIN ESTRELLAS,
INTENTANDO DORMIRME.

Capítulo Nueve

Cuando un caballero de armadura reluciente se encuentra en el peor momento de su viaje y todo parece perdido, solo puede ir... más abajo todavía. Sí, me habéis oído bien: la semana de Guillermina no va a hacer más que empeorar.

AL LEVANTARME EL SÁBADO, ME DI CUENTA DE QUE MAMÁ Y PAPÁ YA HABÍAN DECIDIDO QUÉ HACER CONMIGO. NO QUERÍAN RECOMPENSARME DEJÁNDOME IR A LA FERIA, PERO TAMPOCO PODÍAN DEJARME SOLA EN CASA.

HASTA QUE NOS CUENTES LO QUE PASA, TE QUEDAS SIN HACER DE ESCUDERO. **Y** SIN DISFRAZ.
¿Y QUÉ VOY A HACER?

TE QUEDARÁS EN LA TIENDA CONMIGO CUIDANDO A FÉLIX. COMO ANTES. TENDRÁS QUE **DEMOSTRARNOS** QUE ERES LO SUFICIENTEMENTE MADURA ANTES DE VOLVER A TUS DEBERES DE ESCUDERO.

CUANDO LLEGUÉ A LA FERIA, ME QUEDÉ EN LA TIENDA OCUPÁNDOME DE LA CAJA, LA TAREA QUE REQUERÍA MENOS ESFUERZO E INTERACCIÓN.

LO BUENO ERA QUE CORRÍA MENOS RIESGO DE TOPARME CON ANITA.

NADIE ME DIJO NADA (EXCEPTO LA PRINCESA).

Dragones
¡BUEN DÍA, GUILLERMINA!

ME LO MERECÍA.

DESPUÉS DE UN DÍA ENTERO SIN DECIR MÁS QUE «VUESTRO CAMBIO» Y «¿DESEÁIS UNA BOLSA?»...

GUILLERMINA, LLEVA A TU HERMANO AL BAÑO, POR FAVOR. ME ESTÁ VOLVIENDO LOCA.

¿QUIÉN, YO?
VALE.

ES COMO SI LA GENTE QUE VEÍA A MI ALREDEDOR PASÁNDOLO BIEN ESTUVIERA EN OTRO MUNDO. LA ESCUELA ME PESABA EN LA MENTE COMO UN NUBARRÓN QUE LO ENSOMBRECÍA TODO. ADEMÁS, ANITA PODÍA APARECER EN CUALQUIER MOMENTO.

TOMA, ¡SUJÉTAME A TIFFANY MIENTRAS HAGO PIS!

CADA VEZ QUE PENSABA EN MI DIARIO, SENTÍA UN NUDO EN EL ESTÓMAGO.

Letrinas

¿POR QUÉ HICE ESE DIBUJO? **¿POR QUÉ** NO LO HICE PEDAZOS?

NECESITABA ESTAR SOLA UN MOMENTO.

FRUS
FRUS

MUÁ

¿QUÉ ESTÁ **PASANDO?** ¿POR QUÉ TIENE QUE CAMBIAR TODO? ¿POR QUÉ LAS COSAS NO PUEDEN SER COMO SIEMPRE?

¿MOMO? ¡MOMO! **¿DÓNDE ESTÁS?**

CINCO MINUTOS DE SOLEDAD. NO PEDÍA MÁS...

¡ARRIBA, DORMILONA!
ZAS
¡TE PILLÉ! ¡JA, JA! ¡YA HAS CAÍDO EN EL POZO DE BARRO!

VENGA, DEVUÉLVEME A TIFFANY.

NO PUEDO MÁS. ESTOY HARTA. HARTA DE **TI,** DE ESTE **ASCO** DE FERIA Y DE TODO MI **ASCO DE VIDA.** ¿QUIERES QUE TE DEVUELVA A TIFFANY?

PUES VE A POR ELLA.
ZAS

¿ALGUNA VEZ HAS HECHO ALGO DE LO QUE TE HAS ARREPENTIDO AL INSTANTE?
SPLASH

¡¿TIFFANY?!
NO! ¡FÉLIX, NO TE METAS!

¡SUÉLTAME! ¡QUE SE HUNDE! ¡SE HUNDE EN EL LAGO!
CHAP
CHAP

¡PARA! ¡YO IRÉ A POR ELLA! PERO... ¡NO TE METAS! ¡EN ESE LAGO PUEDE HABER COCODRILOS!

¡LOS COCODRILOS SE COMERÁN A TIFFANYYYYY!
¡BUAAAAAAAA!

VALE... ESPERA.

¡LA ESTÁS ALEJANDO TODAVÍA MÁS!

¿QUÉ HACÉIS? ¿QUÉ PASA?
¡TIFFANY HA CAÍDO AL LAGO Y SE ESTÁ AHOGANDO!
INTENTO PESCARLA, ¡PERO NO LLEGO!

GUILLERMINA, BAJA DE ESA RAMA. VOY A POR EL GUARDA FORESTAL. FÉLIX, NO TE MUEVAS.

¡TIFFANY!
NO PASA NADA, FÉLIX. LA RESCATAREMOS.

SE ARMÓ UN FOLLÓN ENORME. PARECÍA QUE TODA LA FERIA HABÍA VENIDO A INTENTAR SALVAR A TIFFANY.

LLEGÓ LA NOCHE Y CADA VEZ ESTABA MÁS CLARO QUE NO ÍBAMOS A ENCONTRARLA.
ES UN LAGO ARTIFICIAL QUE DESEMBOCA EN EL GOLFO DE MÉXICO…

¡¡MÉXICOOOOOOO!!
¡ENVIARÉ A LA GUARDIA REAL A BUSCARLA!

VOLVEREMOS MAÑANA A PRIMERA HORA. QUIZÁ LLEGUE A LA ORILLA POR LA NOCHE.
¡PERO ESTARÁ MOJADA Y TENDRÁ FRÍO! ¡NO PUEDO DEJARLA SOLA TODA LA NOCHE!

LE DEJARÉ ESTE PAÑUELO. ASÍ PODRÁ SECARSE CUANDO SALGA DEL AGUA.
DÉJALE DOS, ASÍ TENDRÁ TAMBIÉN UNA MANTA.

¿Y SI LOS COCODRILOS SE LLEVAN LOS PAÑUELOS? MOMO ME HA DICHO QUE HAY COCODRILOS EN EL LAGO QUE SE COMERÁN A TIFFANY.

YO NO HE DICHO...

LOS COCODRILOS NO COMEN ARDILLAS. ADEMÁS, **¿TÚ** QUÉ PREFERIRÍAS COMER, UNA ARDILLA DISECADA O UN MUSLO DE PAVO?
¡BUAAA!
SNIF

EL VIAJE A CASA FUE HORRIBLE. SABÍA QUE IBA A CAERME UNA BUENA, Y ME LO MERECÍA.

AL LLEGAR A CASA, PAPÁ Y MAMÁ SE TURNARON PARA ECHARME LA BRONCA Y CUIDAR DE FÉLIX.

NO PUEDO CREER QUE SEAS TAN **EGOÍSTA**...
NOS MIENTES SOBRE LA ESCUELA, Y AHORA **ESTO**...
EL JUGUETE **PREFERIDO** DE TU HERMANO...
... QUE MI PROPIA HIJA SEA TAN **MEZQUINA**...

¡LO SIENTO! ¡FUE SIN QUERER!
¡ESO YA NO VALE! ¡Y NO ES A MÍ A QUIEN TIENES QUE PEDIR DISCULPAS! ¡VE A LA HABITACIÓN DE TU HERMANO Y VERÁS LO DISGUSTADO QUE ESTÁ!

NO ME HACÍA FALTA IR A VER A FÉLIX PARA SABER CÓMO SE SENTÍA. YA DEBÍA DE HABERLO OÍDO TODO EL BLOQUE.

FÉLIX, LO SIENTO. LO SIENTO MUCHO.
VE A TU HABITACIÓN, MOMO. VETE. YA HAS HECHO SUFICIENTE POR HOY.

FÉLIX SE PASÓ TODA LA NOCHE LLORANDO. OÍA A MAMÁ CONSOLARLO, PERO NO SERVÍA DE NADA. NUNCA ME HABÍA SENTIDO TAN MAL EN LA VIDA.

YO SIEMPRE HABÍA CREÍDO QUE, EN EL CUENTO, YO ERA EL CABALLERO QUE HACÍA EL BIEN.
PERO RESULTABA QUE ERA EL DRAGÓN, SEMBRANDO EL MAL A MI ALREDEDOR.

EL DOMINGO FUE UN DÍA NEGRO. FÉLIX Y LA PRINCESA PASARON EL DÍA ENTERO EN EL LAGO BUSCANDO A TIFFANY. YO INTENTÉ AYUDAR, PERO...

¡NO QUIERO VERTE! ¡FUERA DE AQUÍ!

TODO EL MUNDO ACUDIÓ A AYUDAR. CAM, OFENSIA, LA REINA... Y ANITA. NADIE ENCONTRÓ NI RASTRO DE TIFFANY.

CUANDO LLEGÓ LA HORA DE IRNOS, VI A FÉLIX DEJAR EL BOCADILLO QUE NO SE HABÍA COMIDO EN EL ALMUERZO AL PIE DE UN ÁRBOL. YO SABÍA QUE ERA PARA TIFFANY.

TENÍA LA SENSACIÓN DE QUE NO VOLVERÍAMOS A VERLA NUNCA.

CAPÍTULO DIEZ

En ocasiones, un caballero debe detenerse a replantearse sus objetivos. Quizá no pueda superar la misión, al fin y al cabo. Son cosas que pasan. ¿Por qué no hacerse ermitaño? No suena nada mal.

ERA UN ALIVIO PODER
QUEDARME EN CASA TRES DÍAS.

AUNQUE... QUIZÁ QUEDARSE
EN CASA FUERA PEOR QUE
IR A CLASE.

SNIF

VAMOS, MOMO. TE VIENES AL TRABAJO CONMIGO. LLÉVATE LOS DEBERES.

AHORRAMÁS
PISCINAS
PAVIMENTOS

POR LO GENERAL, A FÉLIX Y A MÍ NOS
GUSTA IR AL TRABAJO CON PAPÁ.
NOS METEMOS EN LAS PISCINAS VACÍAS
COMO SI FUÉRAMOS RICOS. Y ME GUSTA
VER A PAPÁ GANÁNDOSE A LOS CLIENTES.

PERO ESE DÍA ME METÍ EN
EL FONDO DE UN JACUZZI
COMO UNA ERMITAÑA
EN SU CUEVA.

SERÍA MEJOR QUE ME RETIRARA
DEL MUNDO UN TIEMPO. SIN HABLAR
CON NADIE NI VER A NADIE.

Cueva de la ermitaña
SÍ, LA VIDA DE UN ERMITAÑO ME PARECÍA IDEAL.

MI NUEVA RUTINA ERA BASTANTE SENCILLA. ME LEVANTABA, ME VESTÍA Y DESAYUNABA.

INTENTÉ PEDIR PERDÓN A FÉLIX UNAS CUANTAS VECES...
FÉLIX, YO...

... PERO NO SALIÓ MUY BIEN.

IBA AL TRABAJO CON PAPÁ FINGIENDO QUE ERA LO MÁS NORMAL DEL MUNDO QUE NO NOS HABLÁRAMOS.

Y ENTONCES ME PASABA EL DÍA METIDA EN MI CUEVA JACUZZI. AL MENOS LA VIDA DE ERMITAÑA ME PERMITÍA PONERME AL DÍA CON LOS DEBERES. MAMÁ ME METÍA EL ALMUERZO EN LA MOCHILA, ASÍ QUE NI SIQUIERA TENÍA QUE SALIR A COMER.

AL LLEGAR A CASA, IBA DIRECTA A MI HABITACIÓN. NO SALÍA NI PARA CENAR. PREFERÍA PASAR HAMBRE QUE ESTAR SENTADA A LA MESA MIENTRAS MI FAMILIA ME IGNORABA.

NO ME DEJABAN VER LA TELE NI CONECTARME A INTERNET, PERO ME DABA IGUAL. LA VIDA DE LOS ERMITAÑOS ES AUSTERA, MÁS ME VALÍA ACOSTUMBRARME A MIRAR LAS PAREDES.

EN MI TERCER DÍA DE EXPULSIÓN YA ESTABA HABITUADA A MI NUEVA VIDA.
MOMO, PUEDES QUEDARTE EN LA SALA DE PERSONAL. ESTARÁS MÁS CÓMODA.
EL JACUZZI ME GUSTA.

ESTABA INMERSA EN UN CAPÍTULO FASCINANTE DE HISTORIA, CUANDO...

DING

QUIERO HABLAR CON EL ENCARGADO. AYER ME VENDIERON UNA PIEZA EQUIVOCADA PARA LA BOMBA DEL JACUZZI.
YO SOY EL ENCARGADO DE TURNO.

¿AH, SÍ? PUES AYER ME PASÉ **CUATRO HORAS** INTENTANDO MONTAR LA PIEZA QUE NO ERA.
IDIOTA. ¿QUIÉN SE PASA CUATRO HORAS MONTANDO LA PIEZA QUE NO ES?

VAMOS A VER... CABALLERO, SEGÚN SU MANUAL DE INSTRUCCIONES, ESTA PIEZA ES LA CORRECTA.
OIGA, LE DIGO QUE **NO ES ESTA.**

NO SÉ QUÉ TIPO DE GENTE PONEN A TRABAJAR AQUÍ HOY EN DÍA. ¿Y TÚ ERES EL **ENCARGADO?** NO SÉ DE DÓNDE ERES, PERO POR AQUÍ, COLEGA...

¡OYE! ¡NO LE HABLES ASÍ A MI PADRE! ¡ES UN **CABALLERO!** ¡IGUAL ES QUE NO SABES ARREGLAR UN JACUZZI! ¿SE TE HABÍA **OCURRIDO?**

¡MOMO! ¡A LA SALA DE PERSONAL! **¡YA!**

¡BAH!
¡BLAM!

ME TEMBLABA TODO. ¡¿POR QUÉ EL CABALLERO QUE TENÍA DENTRO TENÍA QUE SALIR JUSTO **AHORA**?! ¡SI ME HABÍA HECHO **ERMITAÑA**!
ME HABÍA METIDO EN UN LÍO TAN GRANDE QUE NO QUERÍA NI PENSARLO.
¡BLAM!
YA VIENE.
CLINC CLINC
PLONC
FRAS FRAS
PATATAS FRITAS CON QUESO. MIS FAVORITAS.
CRUNCH CRUNCH
CRUNCH CRUNCH

CRUNCH

¿PAPÁ?

¡JE, JE, JE!
¡JA, JÁ!

¡QUÉ CARA HA PUESTO! «¡IGUAL ES QUE NO SABES ARREGLAR UN JACUZZI!» ¡JA, JA, JA!

CREÍ QUE YO TAMBIÉN ME ECHARÍA A REÍR, PERO...
BUAAA
PAPÁ, LO SIENTO. LO SIENTO MUCHO.

NO ME REFERÍA AL TIPO DEL JACUZZI, PERO NO HACÍA FALTA QUE SE LO EXPLICARA, PAPÁ YA LO SABÍA.
AY, MOMO, ERES BUENA CHICA. ES SOLO... QUE TE HAS PERDIDO UN POCO.

NO SÉ CÓMO ENCONTRARME. NO SÉ QUÉ HACER.

MOMO... EN EL MUNDO HAY MUCHA IRA Y ODIO. ESO YA LO SABES. PERO NOSOTROS SOMOS CABALLEROS.
NUESTRO TRABAJO ES HACER DEL MUNDO UN LUGAR MEJOR. SÉ QUE ENCONTRARÁS LA FORMA DE ENMENDAR TUS ERRORES.
PERO **¿CÓMO?**

CABALLEROSIDAD. HONESTIDAD. VALENTÍA. ¿VERDAD?

MENUDA AYUDA, PAPÁ.
PERO ME SENTÍA ALGO MEJOR.

SEGUIMOS SIN HABLAR EN EL CAMINO A CASA, PERO AHORA EL SILENCIO ERA DIFERENTE. MÁS AGRADABLE.

AL LLEGAR A CASA, FUI A MI HABITACIÓN. REUNÍ EL VALOR, Y CUANDO OÍ QUE TODOS SE SENTABAN A CENAR...

ME CHIRRIABA LA VOZ, COMO POR FALTA DE USO.
¿MAMÁ? ¿PAPÁ? ¿OS ACORDÁIS QUE DIJISTEIS QUE PODÍA VOLVER A ESTUDIAR EN CASA SI QUERÍA? BUENO, PUES... QUIERO. NO QUIERO VOLVER A SECUNDARIA.

NO.
¿NO?

HAS COMETIDO UN ERROR, GUILLERMINA. NO, MUCHOS ERRORES. Y AHORA TIENES QUE ENFRENTARTE A LAS CONSECUENCIAS. NO PUEDES HUIR DE TUS PROBLEMAS.
HUIR ERA MI NUEVA ESTRATEGIA VITAL, ASÍ QUE ESTAS NO ERAN BUENAS NOTICIAS.

PERO PODRÍA QUEDARME EN CASA Y AYUDAROS COMO ANTES.

¡NOOOOOOO! ¡NO QUIERO QUE ESTÉS AQUÍ!
FÉLIX...

PERO...
NO HAY MÁS QUE HABLAR, MOMO. FUE IDEA TUYA IR AL COLEGIO. FUE IDEA TUYA HACER ESOS DIBUJOS ODIOSOS DE TUS AMIGOS. FUE IDEA TUYA SER CRUEL CON TU HERMANO. TUS ACTOS TIENEN CONSECUENCIAS, Y TENDRÁS QUE ENFRENTARTE A ELLAS.

CALCULANDO...
CALCULANDO...
RESULTADO = ARRIESGADO
DECIDÍ INTENTARLO DE TODAS FORMAS.

¿PAPÁ?

¡OYE! ¡NI SE TE OCURRA PREGUNTARLE A TU PADRE! ACABO DE DARTE UNA RESPUESTA, ¡Y ES **NO**!

ME LO TEMÍA. SUPUSE QUE ERA INEVITABLE. PERO VALÍA LA PENA INTENTARLO.

IGUAL NO PODÍA HUIR, PERO SÍ ESCONDERME. DECIDÍ SER UNA ERMITAÑA TAMBIÉN EN LA ESCUELA. UNA ERMITAÑA NO HABLA CON NADIE E IGNORA TODAS LAS MIRADITAS.

IGNORA LOS CUCHICHEOS EN EL PASILLO.

¡POBRE-
TONA!

IGNORA LOS COMENTARIOS DE CIERTOS PROFESORES.

VEO QUE LA ARTISTA HA VUELTO A CLASE. DIBÚJAME DEL PERFIL IZQUIERDO LA PRÓXIMA VEZ, ES EL BUENO.

IGNORA LAS NOTITAS DE SUPUESTOS EXPRETENDIENTES.
¡Mis dos perfiles son malos!

IGNORA A SUS SUPUESTAS EXAMIGAS.
GUILLERMINA...
LO DE ROBARTE EL DIARIO Y COLGAR LOS DIBUJOS FUE MUY MEZQUINO. QUIERO QUE SEPAS QUE NO FUI YO.

IGNORA CUALQUIER COSA QUE LA HAGA SENTIR MAL.

LO BUENO, LO MALO Y LO INDIFERENTE... YO QUERÍA IGNORARLO TODO, HACERME INVISIBLE. PASARÍA EL RESTO DEL CURSO ASÍ, Y QUIZÁS AL SIGUIENTE MAMÁ DEJARÍA QUE ME QUEDARA EN CASA. ESO SI NO SEGUÍA ENFADADA CONMIGO.

EN LA FERIA TAMBIÉN ME HICE LA ERMITAÑA. LOS DÍAS EN LOS QUE ACUDÍAMOS DESPUÉS DE CLASE, NO CHARLABA CON OFENSIA NI PRACTICABA CON LA ESPADA CON PAPÁ O CAM. ME QUEDABA EN LA TRASTIENDA HACIENDO LOS DEBERES.

Coronas
Muñecas

LA ÚNICA PERSONA A LA QUE NO PODÍA **IGNORAR**...

GUILLERMINA, HA LLEGADO VIOLETA PARA TUS CLASES DE REPASO.

PARTE DE MI CASTIGO, ADEMÁS DE NO HACER DE ESCUDERO Y ESTAR SIN TELE Y SIN INTERNET, ERA DAR REPASO DE CIENCIAS. CON LA PRINCESA, NADA MÁS Y NADA MENOS.

TIENES QUE PREPARAR UNA PRESENTACIÓN SOBRE COPÉRNICO, ¿NO? OFENSIA ME HA PRESTADO ESTOS LIBROS.

GRACIAS.
EL MENOR NÚMERO DE PALABRAS PARA NO PARECER MALEDUCADA.

LA VIDA FUE ASÍ UN TIEMPO. SER INVISIBLE NO ESTÁ TAN MAL, SI TE VA UNA VIDA SILENCIOSA EN PLAN ZEN.

AL FINAL, CONSEGUÍ HACERME INVISIBLE DEL TODO EN LA ESCUELA.
¡POBRETONA!
BUENO, CASI DEL TODO.

EMPECÉ A SACAR MEJORES NOTAS. INCLUSO EN CIENCIAS, AUNQUE NO TE LO CREAS.
Notable

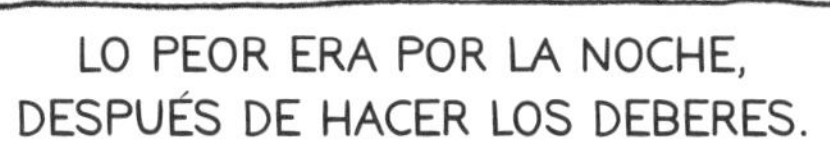
LO PEOR ERA POR LA NOCHE, DESPUÉS DE HACER LOS DEBERES.

VOLVÍ A CENAR CON MI FAMILIA. AHORA VOLVÍAN A HABLARME...

¿FÉLIX? ¿QUIERES MÁS PURÉ DE PATATA?
BUENO, FÉLIX TODAVÍA NO.

PERO EL AMBIENTE ESTABA **ENRARECIDO**, TODO PARECÍA DIFERENTE.

GUILLERMINA, PÁSAME LA SAL, POR FAVOR.
MAMÁ: MUY RARA Y FORMAL.
PAPÁ: SONRISA TRISTE.
FÉLIX: HOSTILIDAD ABIERTA.
YO: ME SIENTO UNA EXTRAÑA.

LO PEOR ERA QUE NO SABÍA CUÁNTO DURARÍA TODO AQUELLO. YA ESTABA CASTIGADA, ¿CUÁNTO TIEMPO PENSABAN ESTAR ENFADADOS CONMIGO? ¿PARA SIEMPRE?
QUIZÁ NUNCA VOLVERÍAN A VERME DE LA MISMA MANERA.

EN MI HABITACIÓN, CON LOS DEBERES TERMINADOS...
SIGUE SIN HABER ESTRELLAS. MALDITO DOCTOR RODRÍGUEZ...

ME DEDICABA SOBRE TODO A ESCRIBIR EN MI DIARIO Y, A VECES, A DIBUJAR. HICE MUCHOS DIBUJOS DE TIFFANY. SUPONGO QUE PORQUE ME SENTÍA CULPABLE.

LA VIDA DE ERMITAÑA TAMPOCO ESTÁ TAN MAL.

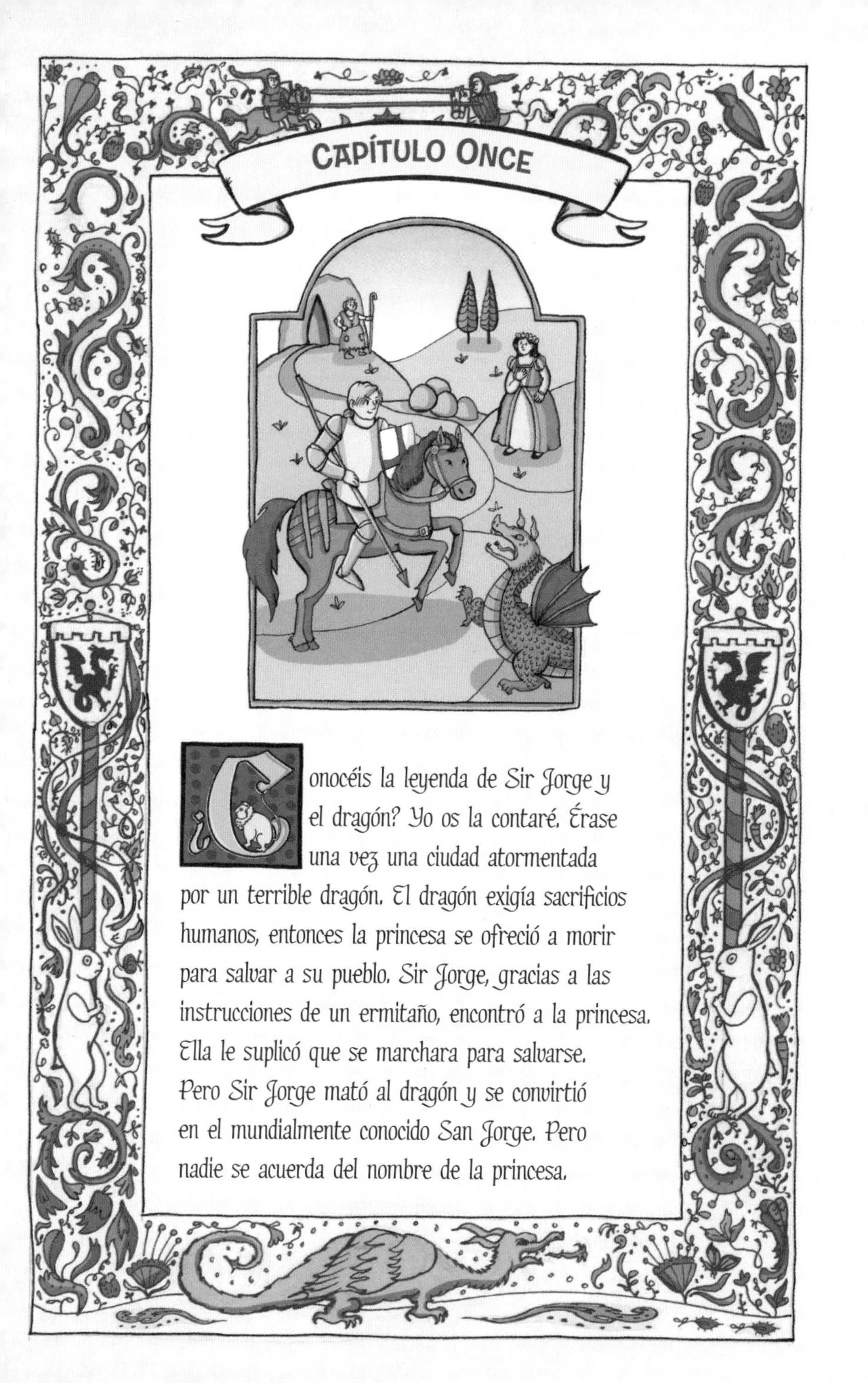

Capítulo Once

¿Conocéis la leyenda de Sir Jorge y el dragón? Yo os la contaré. Érase una vez una ciudad atormentada por un terrible dragón. El dragón exigía sacrificios humanos, entonces la princesa se ofreció a morir para salvar a su pueblo. Sir Jorge, gracias a las instrucciones de un ermitaño, encontró a la princesa. Ella le suplicó que se marchara para salvarse. Pero Sir Jorge mató al dragón y se convirtió en el mundialmente conocido San Jorge. Pero nadie se acuerda del nombre de la princesa.

AUNQUE NO HICIERA MÁS QUE RECOGER CACA DE CABALLO, ECHABA DE MENOS HACER DE ESCUDERO EN LA FERIA. ECHABA DE MENOS A LOS NIÑOS DE LA C.A.M. Y A ANITA.

SOLO QUEDABAN UNAS SEMANAS DE FERIA, PERO ME DABA MIEDO PEDIR A MIS PADRES QUE ME DEJARAN VOLVER A SER UN ESCUDERO.

NO PODEMOS **CONFIAR** EN TI, GUILLERMINA.
NO ESTÁS PREPARADA PARA SER ESCUDERO.
ASÍ QUE NO SE LO PEDÍ. SEGUÍ SIENDO INVISIBLE.

CUANDO ME CANSABA DE ESCONDERME EN LA CUEVA, ME REFUGIABA EN EL ÚNICO LUGAR EN EL QUE UNA ERMITAÑA PODÍA ESTAR TRANQUILA EN UNA FERIA MEDIEVAL.

Cueva de la ermitaña
LETRINAS

¡HOLA, CARALARGA! LLEVAS VEINTE MINUTOS DANDO VUELTAS POR MI CUEVA. ¿ERES MI APRENDIZ DE ERMITAÑA?
NO SUENA MAL.

NI HABLAR. LOS ERMITAÑOS TRABAJAN SOLOS. LO PONE EN EL ANUNCIO DE TRABAJO.
VALE.

MOMO, MOMO, MOMO. VEN AQUÍ. SÉ QUE HAS PASADO UNAS SEMANAS MUY DURAS. CUÉNTAME.
TAP, TAP

NO SE ME DABA MUY BIEN HACER DE ERMITAÑA, PORQUE NO TARDÉ NADA EN EMPEZAR A HABLAR.

ES QUE... CREÍA QUE YO ERA UN CABALLERO, PERO RESULTA QUE SOY UN DRAGÓN, ASÍ QUE ME HE HECHO ERMITAÑA PARA NO TENER QUE VOLVER A HABLAR CON NADIE NUNCA.

¿CÓMO?

CREO...
CREO QUE NO SOY BUENA PERSONA.

GUILLERMINA, NO ERES MALA PERSONA. TODOS LLEVAMOS UN DRAGONCITO DENTRO. LO QUE HAY QUE HACER ES DOMARLO.
¿Y SI ES UN DRAGÓN MÁS GRANDE DE LO NORMAL? ¿Y SI SOY UN 90 % DRAGÓN?

PERO TÚ QUIERES SER CABALLERO, ¿NO? PUES CÁRGATE A ESE HIJO DE..
¡...SU MADRE!

NO CREO QUE VAYA A SER MUY BUEN CABALLERO.
TOC
PUES COMO ERMITAÑA ERES UN DESASTRE.

¿SABES? ME HAS HABLADO DEL DRAGÓN, EL CABALLERO Y EL ERMITAÑO. TE FALTA UN PERSONAJE DE LA LEYENDA.

NANAY. NO SÉ SI TE DAS CUENTA, PERO NO ME VA LO DE PRINCESA.
¿AH, NO?

EN LA LEYENDA LA PRINCESA NO HACE NADA. SE RINDE, NO INTENTA ENFRENTARSE AL DRAGÓN NI NADA. ES UNA PAVA.

PUES **YO** CREO QUE ES EL PERSONAJE MÁS VALIENTE DE LA HISTORIA.
¡JA!

¡EN SERIO! ¡LA PRINCESA **SE PRESENTA VOLUNTARIA PARA QUE SE LA COMA UN DRAGÓN!** SE METE CON VALENTÍA EN LA GUARIDA DEL MONSTRUO DE FORMA ALTRUISTA. NO QUIERE HACERSE FAMOSA, NI SER UN HÉROE. ES UNA BUENA PERSONA QUE QUIERE SALVAR A SU PUEBLO. LA BONDAD ES LA FORMA MÁS PURA DE LA VALENTÍA.
LETRINAS

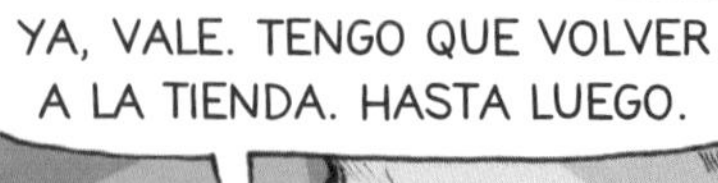
YA, VALE. TENGO QUE VOLVER A LA TIENDA. HASTA LUEGO.

ME QUEDÉ EN LA TRASTIENDA DIBUJANDO EN MI DIARIO TODA LA TARDE.

¡BUEN DÍA, DAMA GUILLERMINA!
EN SERIO, ¿**POR QUÉ** ES TAN MAJA?

NO ME LO MEREZCO, DESPUÉS DE TODO LO QUE HE HECHO.

FÉLIX SE PASA TODO EL RATO CON LA CONSOLA. ES COMO SI ÉL TAMBIÉN SE HUBIERA HECHO ERMITAÑO.

OJALÁ PUDIERA
CAMBIARLO TODO...

SABÍA QUE ERA
IMPOSIBLE, PERO...

... TAL VEZ PUDIERA HACER QUE FÉLIX
SE SINTIERA MEJOR.
Para Félix,
lo siento
Te quiere,
Momo

FÉLIX, HE HECHO
ESTO PARA TI.

RAS
RAS

¿LO VES? SER BUENA PERSONA
ERA PERDER EL TIEMPO.
MEJOR VOLVER A HACERME INVISIBLE.

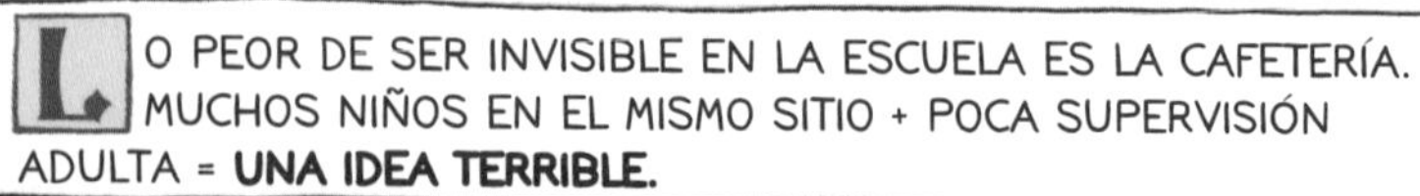
LO PEOR DE SER INVISIBLE EN LA ESCUELA ES LA CAFETERÍA. MUCHOS NIÑOS EN EL MISMO SITIO + POCA SUPERVISIÓN ADULTA = **UNA IDEA TERRIBLE.**

NORMALMENTE LE PIDO AL PROFESOR QUE VIGILA SI PUEDO IR AL BAÑO, Y TARDO TANTO COMO PUEDO EN VOLVER.

PERO NI EL CABALLERO MÁS VALIENTE PUEDE AGUANTAR MUCHO TIEMPO EN EL BAÑO DE LA ESCUELA...
¡PUAJ! ¿QUÉ ES ESA **PESTE**?

... ASÍ QUE SIEMPRE ME QUEDA ALGO DE TIEMPO POR LLENAR. DECIDÍ VOLVER A LA CAFETERÍA POR OTRO CAMINO PARA OCUPAR ALGO MÁS DE RATO.

?

¡AAARGH!
SEÑORITA VEGA, ESTO ES UNA REUNIÓN DE LA OLIMPIADA CIENTÍFICA. Y COMO USTED NO PARTICIPA EN LA OLIMPIADA CIENTÍFICA, COMO NO VUELVA A LA CAFETERÍA AHORA MISMO, LA CASTIGARÉ.

AH... VALE.

HAY UN DESCANSO DE CINCO MINUTOS ENTRE QUE SE ACABA LA HORA DEL ALMUERZO Y EMPIEZA LA SIGUIENTE CLASE, ASÍ QUE LOS ALUMNOS DE MI EDAD TIENEN QUE ESPERAR EN EL PATIO. PARECÍA QUE EL ALMUERZO ACABABA, ASÍ QUE ME SENTÉ, UN POCO PERPLEJA.

ANITA TIENE... **AMIGOS**. IGUAL ES QUE NO LE ARRUINÉ LA VIDA DEL TODO.

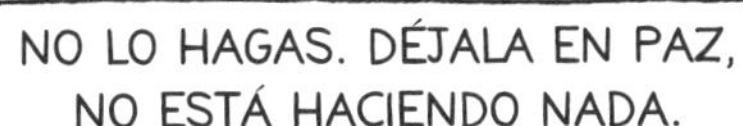
NO LO HAGAS. DÉJALA EN PAZ, NO ESTÁ HACIENDO NADA.

¡EH, GUILLERMINA! ¡A VER ESOS REFLEJOS!
¡PFFFFFFT!

¡JA!
¡JA!

EL PATIO SE QUEDÓ EN SILENCIO. ME PUSE DE PIE.
LA PREGUNTA ERA, ¿QUÉ HAGO?

¡TÍRALE LA MANZANA!
¡ANIQUÍ-LALA!
¡HUYE!
¡DALE UN ABRAZO!

¡SILENCIO! ¡¡VAIS A VOLVERME LOCA!! ¡DEJADME **PENSAR**!

A VECES, CUANDO NO SABES QUÉ HACER...

... LO MEJOR ES PASAR DE TODO.
MADRE MÍA, ¡VAYA **FRIQUI**!

Y ESO ME HIZO LANZAR LOS TROZOS DE MANZANA AÚN MÁS ALTO.

QUÉ DEMONIOS, VAMOS ALLÁ.
DIANA, TÍRAME LA MANZANA QUE TIENES EN LA MANO.

NUNCA HABÍA CONSEGUIDO HACER MALABARES CON CUATRO PELOTAS. PERO ¿QUÉ TENÍA QUE PERDER?

NO LE HAGAS CASO, DIANA.
¡VAMOS, DIANA! TÍRAMELA FLOJITO.

FIU

¡YUJU!

¡¡¡RRRIIINNNGGG!!!
¡OH!
¡OH!

OYE, ¿PUEDES ENSEÑARME A HACER MALABARES?
¡ES SÚPER!

BAH, MENUDA IDIOTA ESTÁS HECHA.

BISSS BISSS BISSS

¡CRUUUUUNCH!

TAL VEZ ME ARREPINTIERA...
¡PERO VAYA SI VALIÓ LA PENA!

ESE DÍA TOCABA FERIA DESPUÉS DE CLASE, ES DECIR, CLASES DE REFUERZO. PERO NI SIQUIERA LA PRINCESA CONSIGUIÓ AGRIARME EL HUMOR.

AQUÍ TIENES MI TRABAJO SOBRE COPÉRNICO, POR SI QUIERES LEERLO.

¡HOY ESTÁS ANIMADA!

¿TE HA IDO BIEN EN LA ESCUELA?
NORMAL.

¡CREO QUE EL TRABAJO ESTÁ MUY BIEN! ¿ESTÁS PREPARADA PARA LA PRESENTACIÓN?
SUPONGO QUE SÍ, AUNQUE DA IGUAL, PORQUE EL PROFE ME **ODIA**.

BUENO, CAERLE BIEN NO ES TU TRABAJO. NI QUE TE CAIGA BIEN ÉL A TI EL SUYO. ES IMPOSIBLE CAERLE BIEN A TODO EL MUNDO, ¿SABES?
SÍ, ESO YA LO HABÍA DESCUBIERTO, GRACIAS.

IBA A DÁRTELO MÁS TARDE, PERO... TOMA. UN REGALO POR LO BIEN QUE LO HICISTE EN EL EXAMEN LA SEMANA PASADA.
SI SAQUÉ UN NOTABLE.

ANDA, ÁBRELO.

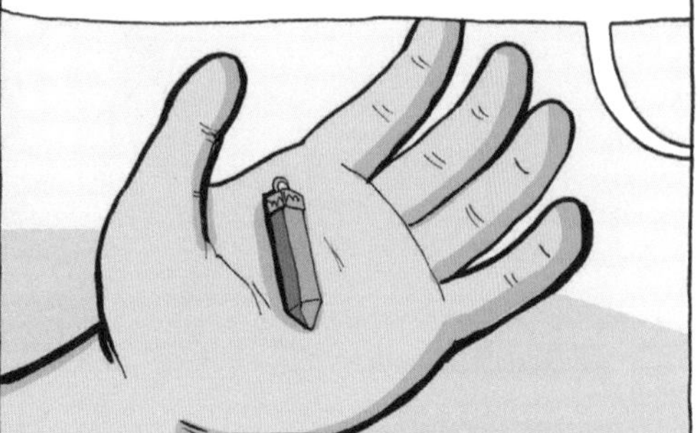
SÉ QUE TIENES UN CUARZO PARA LA BUENA SUERTE. ESTA ES UNA AMATISTA QUE TE TRAERÁ ALEGRÍA. LA SUERTE Y LA ALEGRÍA TE LLEVARÁN MUY LEJOS EN LA VIDA.

ERES MUY AMABLE, PERO... NO PUEDO QUEDÁRMELO.
¡NO SEAS TONTA, CLARO QUE PUEDES!

¡NO! ES QUE... PRIMERO EL CUADERNO, Y AHORA ESTO. SÉ QUE NO TE SOBRA EL DINERO, SI VIVES EN UNA CARAVANA CON CAM. ¿POR QUÉ SIGUES REGALÁNDOME COSAS, SI CASI NO ME CONOCES?
«SI ME COMPORTO COMO UNA IMBÉCIL CONTIGO» NO LO DIJE.

HACE TIEMPO APRENDÍ QUE EL DINERO NO TRAE LA FELICIDAD. VEN, PÓNTELO

¿POR QUÉ ERES SIEMPRE TAN BUENA CONMIGO? ¿Y CON TODO EL MUNDO? ¿NO TE CANSAS DE SER BUENA PERSONA?

POR PRIMERA VEZ, SU SONRISA FLAQUEÓ UN POCO.
YO NO... ES QUE... NO CRECÍ EN UNA FAMILIA IDEAL, PRECISAMENTE. TIENES MUCHA SUERTE CON LA FAMILIA QUE TIENES.

BAH
¡LO DIGO EN SERIO! HAY MUCHA GENTE QUE NO TIENE TANTA SUERTE.

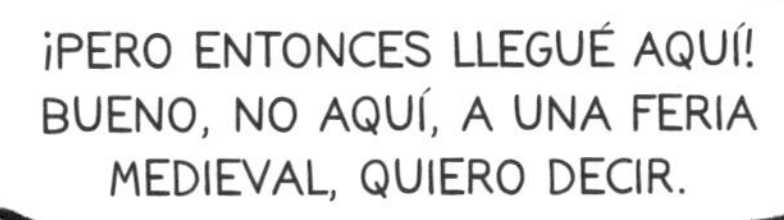
LO PASÉ FATAL EN LA ADOLESCENCIA...
¡PERO ENTONCES LLEGUÉ AQUÍ! BUENO, NO AQUÍ, A UNA FERIA MEDIEVAL, QUIERO DECIR.
Y PARA MÍ FUE COMO ENCONTRAR UN HOGAR. ENCONTRÉ A MI GENTE, LA FELICIDAD. ME MARCHÉ DE CASA DE MI PADRASTRO Y NUNCA ME HE ARREPENTIDO.

UNOS AÑOS DESPUÉS CONOCÍ A CAM, Y ÉL ME HABLÓ DE **TI**.
COMPRENDÍ QUE TU FAMILIA ES IMPORTANTE PARA ÉL, ASÍ QUE TAMBIÉN LO SOIS PARA **MÍ**.

POR ESO INTENTO SER FELIZ, Y POR ESO TE COMPRO REGALOS. AHORA PUEDO ELEGIR A MI FAMILIA. NO PERMITIRÉ QUE MI PADRASTRO ME ROBE LA FELICIDAD. YO **ELIJO** SER FELIZ.

Capítulo Doce

A veces, en lo más profundo del bosque más negro, un caballero en ciernes puede probar a ser princesa. Aunque al susodicho caballero en ciernes nunca se le hubiera ocurrido compararse con una princesa. Jamás de los jamases... pero quizá sea la forma de encontrar el camino para salir del pozo.

EN LA ESCUELA ERA MÁS DIFÍCIL ELEGIR SER FELIZ QUE EN LA FERIA. PERO ¿QUÉ TENÍA QUE PERDER? SI NO TENÍA NINGÚN AMIGO. ADEMÁS, CREO QUE YA HABÍA SUPERADO TODAS LAS FASES DE MI TRAGEDIA SOCIAL.

Negación
Ira
Negociación
Depresión
Aceptación

COMO EN LA FERIA, DECIDÍ INTERPRETAR UN PERSONAJE, ASÍ QUE EMPECÉ A HABLAR CON TODO EL MUNDO, INCLUYENDO:

PERFECTOS DESCONOCIDOS
QUÉ BUEN DÍA, ¿VERDAD?
ESTUDIOSOS
OÍ QUE ANOCHE GANASTEIS LA OLIMPIADA MATEMÁTICA, ¡FELICIDADES!
DEPORTISTAS
¡BUENA SUERTE EN LAS PRUEBAS DE FÚTBOL!
EXCASI-AMIGAS
PENSÉ QUE TE GUSTARÍA LEER EL ÚLTIMO DE «AMIGOS ANIMALES».
EXINTERESES ROMÁNTICOS.
HEY, PICASSO.
INCLUSO DRAGONES.
HMM
QUÉ BUENA CLASE LA DE HOY, DOCTOR. HE APRENDIDO UN MONTÓN.

INCLUSO DRAGONES MÁS GRANDES Y FEROCES.
LO HAS HECHO MUY BIEN EN LA PRUEBA.
¡NO ME HABLES, **IDIOTA**! SI PRETENDES HACERTE LA SIMPÁTICA PARA SER POPULAR, **OLVÍDALO**.
PSSSST PSSST
¡MUCHAS GRACIAS! ¡QUE TENGAS UN BUEN DÍA!
MI AMABILIDAD NO PARECIÓ SURTIR EL MENOR EFECTO EN **NADIE**... Y MUCHO MENOS EN LAS DOS PERSONAS A LAS QUE HABÍA HECHO DAÑO DE VERDAD.

ANITA ME CASTIGABA CON SILENCIO.
ANITA, **LO SIENTO**.
TE HE HECHO UNA CORONA...
UNA GALLETA, POR FAVOR. QUÉDATE CON EL CAMBIO.
Olimpiada Científica, ¡venta de dulces!
OYE, ¡SI ES UN BILLETE DE 10 DÓLARES!

FÉLIX, EN CAMBIO, ERA MÁS DE TIRAR COSAS.
FÉLIX, TE TRAIGO UNA GALLETA...
¡AAAAGH!
TE TRAIGO UN LIBRO DE LA BIBLIOTECA...
¡AAAAAGH!
QUIERES QUE PRACTIQUEMOS ESGRIM...
BUENO, MEJOR NO.

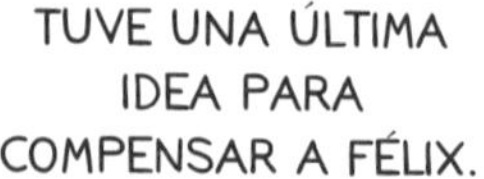
TUVE UNA ÚLTIMA IDEA PARA COMPENSAR A FÉLIX.

PEPINILLOS

¿MAMÁ? YA SÉ QUE ESTOY CASTIGADA, PERO... ¿PUEDO CONECTARME A INTERNET?
¿ES PARA CLASE?

NO... PERO ES IMPORTANTE.
¿POR FAVOR?

RAASS

GUAU, ¿ANTES TIFFANY ERA ASÍ?

AL METERME EN LA CAMA ESA NOCHE (OTRA NOCHE SIN ESTRELLAS, QUÉ SORPRESA)...

ME DEVANÉ LOS SESOS PENSANDO EN CÓMO HACER LAS PACES CON ANITA. NO SE ME OCURRÍA NADA. QUIZÁ NUESTRA AMISTAD FUERA UNA CAUSA PERDIDA.

SE ME PASÓ EL TIEMPO VOLANDO HASTA LA ÚLTIMA SEMANA DE FERIA. EL FIN DE LA TEMPORADA DE FERIA SIEMPRE ME PONE TRISTE. ES COMO EL DÍA DESPUÉS DE NAVIDAD, SOLO QUE, ADEMÁS, TE QUITAN LOS JUGUETES.

ESO NO MEJORABA EN NADA MI ESTADO DE ÁNIMO...

MI MADRE NOS LLEVARÁ EN COCHE EL SÁBADO POR LA MAÑANA. PRIMERO IREMOS A QUE NOS HAGAN TRENZAS Y, LUEGO, VEREMOS UN ESPECTÁCULO.

Y A LAS **IDIOTAS DESINVITADAS** MÁS LES VALE NO ACERCARSE A MI FIESTA.

QUE NO SE PREOCUPARA. TENÍA TODA LA INTENCIÓN DE MANTENERME ALEJADA DE SU FIESTA EN LA FERIA.

EJEM

ESTAMOS EN CLASE DE CIENCIA, NO EN UNA CAFETERÍA. VAMOS A ESCUCHAR LAS PRESENTACIONES SOBRE GALILEO Y COPÉRNICO. SEÑOR LÓPEZ, USTED PRIMERO.

GALILEO GALILEI NACIÓ EN 1564 EN PISA, ITALIA. MURIÓ EN 1642...

GALILEO FUE A LA CÁRCEL POR DECIR QUE LA TIERRA GIRABA ALREDEDOR DEL SOL. TAMBIÉN...
LA VERDAD ES QUE NO ESTABA MUY NERVIOSA POR LA PRESENTACIÓN. UNAS SEMANAS ANTES ME HUBIERA MUERTO DE MIEDO, PERO AHORA CASI QUE NO ME IMPORTABA. DEBÍA DE SER UNA DE LAS VENTAJAS DE RENUNCIAR A TENER AMIGOS.

PLAS
PLAS
PLAS
GRACIAS, SEÑOR LÓPEZ. SEÑORITA VEGA, LE TOCA.

BUENO, ALGO NERVIOSA SÍ ESTABA. NO LEVANTABA LA VISTA DEL PAPEL.
NICOLÁS COPÉRNICO NACIÓ EN POLONIA EN 1473.

PASÓ A LA HISTORIA POR SER EL PRIMER CIENTÍFICO EN DECIR QUE EL SOL, Y NO LA TIERRA, ES EL CENTRO DEL UNIVERSO. AQUELLO CAUSÓ UN GRAN REVUELO EN SU ÉPOCA.

AQUÍ TENÉIS UNA IMAGEN DE SU MAPA DEL UNIVERSO.
APENAS RECUERDO NADA DEL RESTO DE LA PRESENTACIÓN, PERO CONSEGUÍ TERMINARLA.

PLAS
PLAS
PLAS
GRACIAS, SEÑORITA VEGA. PUEDE SENTARSE.

UNA PREGUNTA PARA LOS DOS: ¿POR QUÉ CREEN QUE LES ASIGNÉ ESTOS CIENTÍFICOS? ¿SEÑOR LÓPEZ?

PUES... ¿PORQUE ESTAMOS ESTUDIANDO LOS PLANETAS?
NO. ¿SEÑORITA VEGA?

PORQUE...
¿AUNQUE SOLO SOMOS NIÑOS, PODEMOS SER CIENTÍFICOS EXCELENTES COMO ANITA?
DESDÉN

ANTES DE ESTOS CIENTÍFICOS, LA GENTE CREÍA QUE LA **TIERRA** ERA EL CENTRO DEL UNIVERSO. ESTOS DOS ASTRÓNOMOS CAMBIARON LA FORMA DE VER EL SISTEMA SOLAR. ES EL **SOL** EL QUE ESTÁ EN EL CENTRO, NO NOSOTROS.
Y **AHORA**, ¿ENTIENDEN POR QUÉ ELEGÍ A ESTOS CIENTÍFICOS? ¿QUÉ LECCIÓN PUEDEN ENSEÑARLES?

CRI
CRI

A VECES NO SÉ POR QUÉ ME MOLESTO. FUERA DE MI CLASE, TODO EL MUNDO. VÁYANSE A COMER.

¿DE **QUÉ** IBA TODO ESO? ME ALEGRÉ DE QUE NO FUERA MI TRABAJO QUE ME GUSTARA EL DOCTOR RODRÍGUEZ, PORQUE SI LO FUERA, SEGURO QUE ME ECHARÍAN.

AUNQUE ERA LA ÚLTIMA SEMANA DE FERIA, SEGUÍAMOS YENDO A LA TIENDA DESPUÉS DE CLASE, SOLO QUE PARA HACER CAJAS MÁS QUE OTRA COSA.
MOMO, ESTO HA LLEGADO HOY A CASA PARA TI.

¿POR QUÉ NO SE LO DAS TÚ?

¿FÉLIX? TENGO UNA COSA PARA TI. SÉ QUE NO ES LO MISMO, PERO PENSÉ QUE QUIZÁ...

ES UN GESTO MUY BONITO, MOMO. SOLO NECESITA TIEMPO.
YA SE LO HE **DADO**. NO ME PERDONARÁ **NUNCA**.

CLARO QUE TE PERDONARÁ. SE MUERE POR HACERLO. ERES SU HEROÍNA, ¿SABES?
HUHM

¿POR QUÉ NO INTENTAS HABLAR CON ÉL OTRA VEZ?
YA LO HE INTENTADO **MIL VECES**!

PUES QUE SEAN MIL Y UNA.

AY

Helado

¿FÉLIX?
SNIF

HICE UNA ESTUPIDEZ. LO SIENTO. LO HICE SIN PENSAR. PERDÓNAME, POR FAVOR.

¿ME DEJAS VER CÓMO JUEGAS?

TAP TAP

¿CÓMO HACES PARA QUE SALGAN BOLAS DE FUEGO?
SNIF
TIENES QUE APRETAR A4 Y LUEGO LA FLECHA.

CAPÍTULO TRECE

Queridos compañeros de viaje, me apena decir que se acerca el final de nuestra aventura. Si crees en los finales felices... está claro que es porque nunca has ido a secundaria. Pero tal vez nuestra heroína consiga algo parecido a un final feliz.

EL ÚLTIMO FIN DE SEMANA DE FERIA. NO PODÍA CREERME QUE ESTUVIERA A PUNTO DE ACABAR.

GUILLERMINA, VEN, SIÉNTATE. QUEREMOS HABLAR CONTIGO.
AY, AY, AY...

HAS COMETIDO ALGUNOS ERRORES LAS ÚLTIMAS SEMANAS, ALGUNOS MUY GORDOS. PERO TUS NOTAS HAN MEJORADO, Y HEMOS VISTO CÓMO TE ESFUERZAS CON FÉLIX.

PUEDES VOLVER A HACER DE ESCUDERO.

¿EN SERIO?

EN SERIO. TOMA TU DISFRAZ. SABEMOS QUE HARÁS QUE NOS SINTAMOS ORGULLOSOS.

ME ALEGRABA VOLVER A HACER DE ESCUDERO EL ÚLTIMO FIN DE SEMANA... PERO NO PODÍA EVITAR SENTIR QUE NO ME LO MERECÍA.

QUIZÁ CREAS QUE ME HABÍA OLVIDADO DE LA FIESTA DE CUMPLEAÑOS DE CLARA, PERO TE **EQUIVOCAS**. SUPUSE QUE PODRÍA ESCONDERME EN LA ESCUELA C.A.M. POR SI...
ESCUELA C.A.M.

¡DIABLOS!
ME CRUZABA CON ELLAS.

¡BUEN DÍA, GUILLERMINA! VEO QUE VUELVES A SER ESCUDERO. ¡BRAVO! ¿SIGNIFICA ESO QUE TU PRESENTACIÓN SOBRE COPÉRNICO FUE TODO UN ÉXITO?
ESCUELA C.A.M.
AH, JE, JE. ¡BUEN DÍA! **ESO CREO**... GRACIAS POR AYUDARME, VIOLETA. GRACIAS POR TODO.

FUE UN PLACER. DEBERÍAS DARLE LAS GRACIAS A OFENSIA POR LOS LIBROS.
ES VERDAD. ¿CÓMO ES QUE TENÍAS ESOS LIBROS, OFENSIA?

PUES PORQUE **SOY** UNA EXPERTA SOBRE EL PERSONAJE. ¿QUÉ CREES QUE HACÍA ANTES DE SER LA ERMITAÑA?

PUES... ¿DECIR AÚN MÁS PALABROTAS?
¡CASI, RUFIANA DESPENDOLADA QUE HUELE A CAPRINO! CUANDO EMPECÉ A TRABAJAR EN LA FERIA, MI PERSONAJE ERA UN CIERTO CIENTÍFICO RENACENTISTA MALHABLADO. ¿QUÉ TE PARECE?

¿CÓMO? ¿QUE HACÍAS DE **COPÉRNICO**?
¡PODRÍAS HABERME AHORRADO MUCHO TRABAJO! ¿POR QUÉ NO ME LO DIJISTE?

PORQUE NO ME PREGUNTASTE. IGUAL SI ABRIERAS LOS OJOS DE VEZ EN CUANDO, TE DARÍAS CUENTA DE LAS COSAS.

¿QUÉ? ¿CÓMO IBA YO A SABER...?
OYE, YO ESE SÍMBOLO LO HE VISTO ANTES.

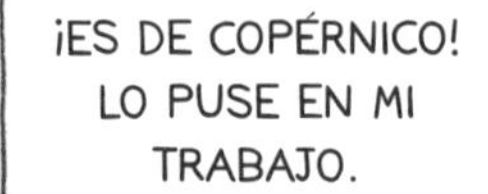
¡ES DE COPÉRNICO! LO PUSE EN MI TRABAJO.

SÉ QUE LOS ADOLESCENTES COMO TÚ SOIS DUROS DE MOLLERA...
¡ADOLESCENTE!

... PERO SI TE FIJAS UN POCO EN EL MUNDO QUE TE RODEA, DESCUBRIRÁS MUCHAS COSAS. POR ESO LLEVO ESTE SÍMBOLO, PARA RECORDARME EL CONCEPTO REVOLUCIONARIO DEL MODELO HELIOCÉNTRICO.
Y ESO SIGNIFICA...

¡SIGNIFICA QUE NO ERES EL CENTRO DEL UNIVERSO, DEMONIOS!

AH.
¡AAAAHH!
¡POR FIN TE DAS CUENTA!

¡POR ESO EL DOCTOR NOS HIZO HACER LOS TRABAJOS! ASÍ PODÍA LLAMARNOS EGOCÉNTRICOS SIN QUE LO ECHARAN.

IMBÉCIL.

ES VERDAD QUE ÚLTIMAMENTE PENSABA MUCHO EN MÍ. EN CÓMO ME SENTÍA EN EL INSTITUTO, EN CÓMO EVITAR A CLARA Y SU GRUPITO EN LA FERIA...

CUANDO, EN REALIDAD, TENDRÍA QUE HABER PENSADO EN OTRA PERSONA.

AY, ¡TENGO QUE IRME!

¡OYE! ¿VAS A DEJAR PLANTADOS A ESOS NIÑOS? ¡TENEMOS QUE IR A LA CORTE! ¡RECUERDA QUE NO ERES EL CENTRO DEL UNIVERSO!

AH. SÍ. ¡A CAZAR DRAGONES, CHICOS! ¡VAMOS A CAZAR UN DRAGÓN!

ME PARECIÓ QUE ESOS NIÑOS TARDABAN UNA **ETERNIDAD** EN ORGANIZARSE. HABÍA QUE ATAR ZAPATOS Y ENCONTRAR ESPADAS PERDIDAS. UN NIÑO SE NEGÓ A MOVERSE SI NO LO LLEVABA A CUESTAS.

¿QUÉ LE DAN DE COMER? ¿PIEDRAS?
TENÍA QUE ENCONTRAR A ANITA ANTES QUE...

DEMASIADO TARDE.

¿NO OS BASTA CON MOLESTARME EN LA ESCUELA? ¿TAMBIÉN TENÉIS QUE HACERLO EN MI TIEMPO LIBRE?

¡PARECE QUE ANITA SABE DAR RIENDA SUELTA AL CABALLERO QUE LLEVA DENTRO! QUIZÁ NO NECESITE AYUDA... QUIZÁ PUEDA QUEDARME ESCONDIDA...

ENTONCES ABRÍ LOS OJOS Y ME FIJÉ BIEN.
A PUNTO DE LLORAR
LE TIEMBLA EL LABIO
ESTÁ MUY TENSA

NO. A TODOS NOS VIENE BIEN UN POCO DE APOYO.

VAMOS, CABALLEROS EN CIERNES...

¡¡AL ATAQUE!!

VOS, ¡VILLANO HUEVO PODRIDO! ¿ESTÁIS MOLESTANDO A LADY ANITA, UNA DE LAS CIUDADANAS MÁS HONORABLES DEL REINO?
AY, POR FAVOR.

¡GUILLERMINA! ¡DÉJALO YA!
¡NO! ¡NO VOY A DEJARLO! ¿ES QUE NO SABÉIS QUE LADY ANITA NO SOLO ES UNA DAMA DE GRAN NOBLEZA SINO TAMBIÉN UNA ESPADACHINA FORMIDABLE?

¡ESPERAD, OS DEMOSTRARÉ SU PODER!
¿QUÉ SIGNIFICA TODO ESTO?

¡YO, GUILLERMINA, ESCUDERA DE SIR HUGO, CABALLERO DEL REINO DE SU MAJESTAD, OS DESAFÍO, LADY ANITA, A UN DUELO!
ME NIEGO.

¿NEGARÉIS A LOS SÚBDITOS EL PRIVILEGIO DE CONTEMPLAR VUESTRA ESGRIMA? BUENA GENTE, ¿NO QUERÉIS VER EN ACCIÓN A LA MEJOR ESPADACHINA DEL INSTITUTO?
¡HURRA!
MIRA, CREO QUE VA A EMPEZAR UN ESPECTÁCULO.

NO TENGO ESPADA.
TOMA, TE DEJO LA MÍA.

¿ME DEJAS TU ESPADA UN MOMENTO? ¡VAMOS! ¡AHORA TE LA DEVUELVO!

BUENA GENTE, ¡PREPARAOS PARA QUEDAROS BOQUIABIERTOS! LADY ANITA, ¿ACEPTÁIS EL DESAFÍO?

NO ES NADA FÁCIL DECIR QUE NO A UN COMBATE CON UN RIVAL FORMIDABLE.

VAMOS, PREPÁRATE PARA MORDER EL POLVO.
CLANG

DESPUÉS DE SEMANAS DE PRACTICAR CON ANITA, CONOCÍA SUS GESTOS... Y SUS DEBILIDADES.

CUANDO EMBISTE A LA IZQUIERDA, DEJA EL FLANCO DERECHO DESPROTEGIDO.
YO SOLO TENÍA QUE ATACAR...
CLEC

¡AJÁ! LADY GUILLERMINA, OS HE DERROTADO. ¿OS DAIS POR VENCIDA?

SÍ.

Y VOS, ¿OS DAIS POR VENCIDA?

POR FAVOR.

SÍ. ME DOY POR VENCIDA, DEJAREMOS ATRÁS NUESTRAS DIFERENCIAS PASADAS.

NO ME ABRACES, VAS MUY SUCIA.
¡HURRA!
¡HURRA!

EL PÚBLICO PARECÍA CONTENTO CON EL ESPECTÁCULO. ALGUNOS HASTA NOS PIDIERON AUTÓGRAFOS. PERO NO NOS DIERON PROPINA.

A LA GENTE DE LA ESCUELA TAMBIÉN LE GUSTÓ.
VAYA, ¡QUÉ PASADA!
¿HAS IDO A CLASES O ALGO?

A TODOS, MENOS A UNA CIERTA PERSONA...
SABÍA QUE ACABARÍAS ESTROPEÁNDOME LA FIESTA. ERES LO PEOR.

VAMOS, CLARA. YO NO PRETENDÍA ESTROPEAR NADA. ¡EL ESPECTÁCULO HA ESTADO BIEN! ME GUSTARÍA EMPEZAR DE NUEVO. ¿TREGUA?

SÍ, CLARO.
¡TREGUA!
PLONC

VÁMONOS. YA ESTOY HARTA DE ESTAS IDIOTAS.

¡LLÉNALA DE BARRO!

ZAS
ZAS

¿PERO QUÉ...?
¡NO PUEDE SER!

¡ALTO! NO MANCILLARÁS ESTE DÍA ESPLENDOROSO CON TUS ACTOS CRUELES, QUESO RANCIO MORDISQUEADO POR LOS RATONES, ¡PUES HA LLEGADO LA BUENA NUEVA!

¡TIFFANY HA APARECIDO!

¿DE QUÉ DIABLOS HABLAS?
¡TENGO QUE ENCONTRAR A FÉLIX! CABALLEROS EN CIERNES, ¡CONMIGO!

¡FÉLIX!
¡FÉLIX!

ME LLAMARON «EL FLAUTISTA DE LA ARDILLA» DURANTE AÑOS PORQUE, AL CABO DE POCO, LA FERIA ENTERA ME SEGUÍA.

PERO ¿QUÉ PASA?
¡FÉLIX!
HA ENCONTRADO UN CALCETÍN VIEJO ENTRE EL BARRO Y SE HA PUESTO A GRITAR.
SERÁ UN ESPECTÁCULO.

¡FÉLIX!

¡FÉLIX!
¡FÉLIX!
¡FÉLIX!
SOLO PODÍA ESTAR EN UN SITIO.

¡FÉLIX!
BFF
BUEN... SEÑOR... FÉLIX.
BFF

BUEN HOMBRE, COMETÍ UN GRAVE Y TERRIBLE ERROR AL PERDER A VUESTRA FIEL COMPAÑERA TIFFANY. ESTAS SEMANAS HAN SIDO LARGAS Y DIFÍCILES, PERO, POR FIN, HA VUELTO CON NOSOTROS.
TIFFANY APARECIÓ.
OS LO SUPLICO, ¿ME PERDONÁIS?

¡VALE!

¡TIFFANY!

¡SÚBDITOS! ESTE ES, DESDE LUEGO, UN DÍA ESPLENDOROSO. NUESTRA AMIGA TIFFANY HA VUELTO CON NOSOTROS. ¡DECLARO EL DÍA DE HOY LA FIESTA DE TIFFANY!

Y VOS, LADY GUILLERMINA, HABÉIS DEMOSTRADO SER UN ESCUDERO FIEL AL SERVICIO DEL REINO CON VUESTRA VALENTÍA. FÉLIX, LADY GUILLERMINA, ME HONRARÁ QUE ME ACOMPAÑÉIS EN EL DESFILE REAL ESTA TARDE.

NI ME MOLESTÉ EN BUSCAR CON LA MIRADA A CLARA, DIANA O PABLO, ME DABA IGUAL LO QUE PENSARAN. EN ESE MOMENTO, NO ME IMPORTABAN.
ESTABA CON MI FAMILIA DE LA FERIA.

PERO DURANTE LA JUSTA DESCUBRÍ QUE, ENTRE LOS QUE ANIMABAN AL CABALLERO NEGRO...
¡MIRAD, ES GUILLERMINA! ¡PARTICIPA EN EL ESPECTÁCULO! ¡GUILLERMINA, HOLA!

Y AUNQUE YO NO HACÍA MÁS QUE RECOGER CACA DE CABALLO Y NO PARTICIPABA EN LA LUCHA DE ESPADAS, ME DABA IGUAL. SIEMPRE QUEDARÍA EL AÑO QUE VIENE.

ADEMÁS, MIS COMPAÑEROS PARECÍAN REALMENTE IMPRESIONADOS.
¡CASI TE APLASTA UN CABALLO!
¡ERES UNA ACTRIZ PROFESIONAL!

CLARA MANTUVO LAS DISTANCIAS...
PERO ES COMO ME DIJO VIOLETA: NO SE PUEDE CAER BIEN A TODO EL MUNDO.

¡QUE VIENE PABLO! HA DICHO QUE IBA A COMPRAR ALGO...

¡A LO MEJOR ME HA COMPRADO UNA **ROSA**! NO, QUÉ TONTERÍA. NO **QUIERO** QUE ME COMPRE UNA ROSA... **¡¿O SÍ?!** PERO ¡¿QUÉ ME PASA?!

¡MIRA LO QUE HE COMPRADO!
¡UN CASCO DE VIKINGO PARA BEBER!

TENÉIS MENOS CEREBRO QUE UN GUSANO. SOLO LOS TONTAINAS COMPRAN ESAS ZARANDAJAS.

LO DICES PORQUE ESTÁS CELOSA. ¡HASTA EL LUNES, RARITA!
ADIÓS, GUILLERMINA.
SÍ, ¡ADIÓS, RARITA!

A FECHA DE HOY, HE SOBREVIVIDO A DOS MESES DE SECUNDARIA, AL CUMPLEAÑOS DE CLARA, Y A UNA LUCHA DE ESPADAS DE VERDAD CON PÚBLICO. **Y** TIFFANY HA VUELTO.

YO DECLARO QUE HA SIDO TODO UN ÉXITO.

EL ÚLTIMO DÍA DE FERIA SIEMPRE ES AGRIDULCE. SOBRE TODO, AGRIO. ME PONE TRISTE PENSAR QUE ES EL ÚLTIMO DESFILE... LA ÚLTIMA PARTIDA DE AJEDREZ... EL ÚLTIMO JUEGO DEL MOLINO HASTA EL AÑO QUE VIENE.

PERO ¿SABES QUIÉN VINO EL ÚLTIMO DÍA? ¡DIANA!
LES CONTÉ A MIS PADRES LO BIEN QUE LO PASÉ, ¡Y DECIDIMOS VENIR OTRA VEZ!

LE PRESENTÉ A TODO EL MUNDO Y LE ENSEÑÉ A JUGAR AL JUEGO DEL MOLINO.

MIS PADRES ME HAN DADO DINERO... ¿COMPARTIMOS UN PASTEL DE MANZANA?
¡ME LEÉIS LA MENTE, LADY DIANA!

PERO TODO LO BUENO LLEGA A SU FIN, Y CUANDO ME DI CUENTA, YA SE ESTABAN CERRANDO LAS PUERTAS.
¡HASTA MAÑANA! DIGO... ¡ID CON DIOS!

LA FIESTA DE DESPEDIDA ES SOLO PARA EL PERSONAL... QUE PARECE CRECER CADA AÑO.

DESPUÉS DEL CIERRE DE PUERTAS, VAMOS TODOS AL LAGO A CANTAR, BAILAR, COMER Y BEBER.

CUANDO OSCURECE, EMPIEZA MI TRADICIÓN FAVORITA DE LA FERIA. HISTÓRICAMENTE ES ALGO QUE SE CELEBRA DURANTE EL SOLSTICIO DE VERANO, Y NO A FINALES DE OCTUBRE, PERO ESO ES UN DETALLE SIN IMPORTANCIA.

PRIMERO SE APAGAN TODAS LAS LUCES.

Y LUEGO CADA UNO ENCIENDE UNA VELA, PIDE UN DESEO Y LA PONE EN EL AGUA. ES LA COSA MÁS BONITA QUE HE VISTO JAMÁS.

YA HE TENIDO BASTANTE LAGO POR UN TIEMPO, ASÍ QUE, AL ENCENDER LA VELA, NO PIDO UN DESEO Y SOLO SUSURRO:
GRACIAS.

OYE, FÉLIX, ¿QUIERES SENTARTE AQUÍ CONMIGO?

TAP TAP

MIRA. SE VEN LAS ESTRELLAS.

Victoria Jamieson estudió ilustración en la Escuela de Diseño de Rhode Island. Antes de dedicarse exclusivamente a la ilustración, trabajó como retratista en un crucero, guía turística en los Museos Vaticanos y diseñadora de libros infantiles. Vivió en Australia, Italia y Canadá hasta que finalmente se instaló en Estados Unidos, en Portland, Oregón, donde comparte su vida con su marido, su hijo y un gato maleducado. Cuando no está dibujando se convierte en *Winnie the Pow,* una magnífica patinadora que compite en la liga de roller derby de la ciudad de Rose, lo que le ha inspirado para su novela gráfica *Sobre patines,* ganadora del premio Newbery.

SOBRE PATINES

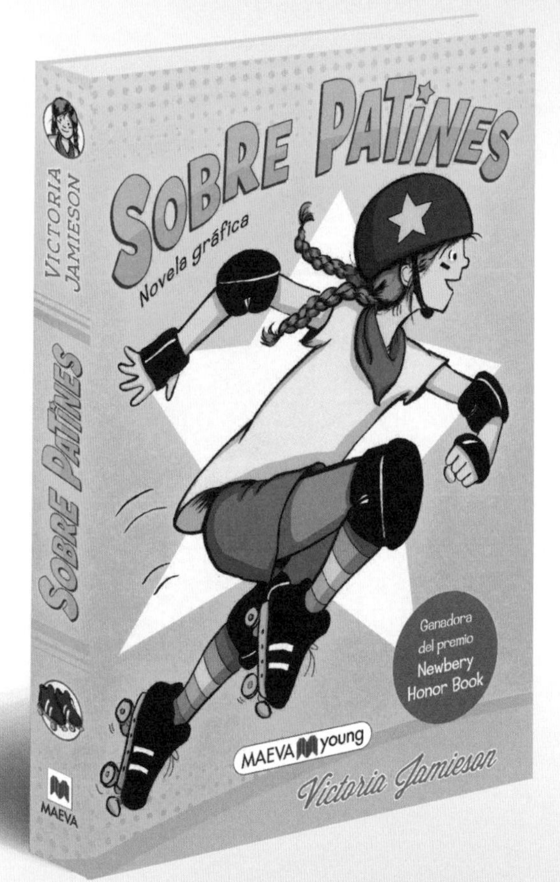
SOBRE PATINES
Novela gráfica
VICTORIA JAMIESON
SOBRE PATINES
Ganadora del premio Newbery Honor Book
MAEVA young
Victoria Jamieson
MAEVA

Astrid siempre ha hecho todo junto con Nicole. Por eso, cuando se inscribe en un campamento de roller derby está segura de que su amiga irá con ella. Pero Nicole se apunta al campamento de ballet ¡con la cursi de Rachel! Entre caídas, tintes de pelo de color azul, entrenamientos secretos y alguna que otra desilusión este será el verano más emocionante de la vida de Astrid.

Victoria Jamieson

Ganadora del premio Newbery Honor Book de 2016

SuperSorda

CECE BELL
Super Sorda
SuperSorda
CECE BELL
Will Eisner
GANADOR
«Cálida, con mucho humor
y llena de superpoderes,
SuperSorda es una delicia total.»
–Raina Telgemeier
Novela gráfica
MAEVA young

Cece desea encajar y encontrar un amigo de verdad. Tras un montón de problemas, descubre cómo aprovechar el poder de su Phonic Ear, el enorme audífono que debe llevar tras haber perdido la audición a los cinco años. Así se convierte en SuperSorda. Una heroína con mucho humor que conseguirá encontrar su lugar en el mundo y la amistad que tanto ansiaba.

Will Eisner
GANADOR

Cece Bell

Ganadora del premio Eisner 2017
al Mejor escritor e ilustrador

EL CLUB de LAS CANGURO

¡Buena idea, Kristy!

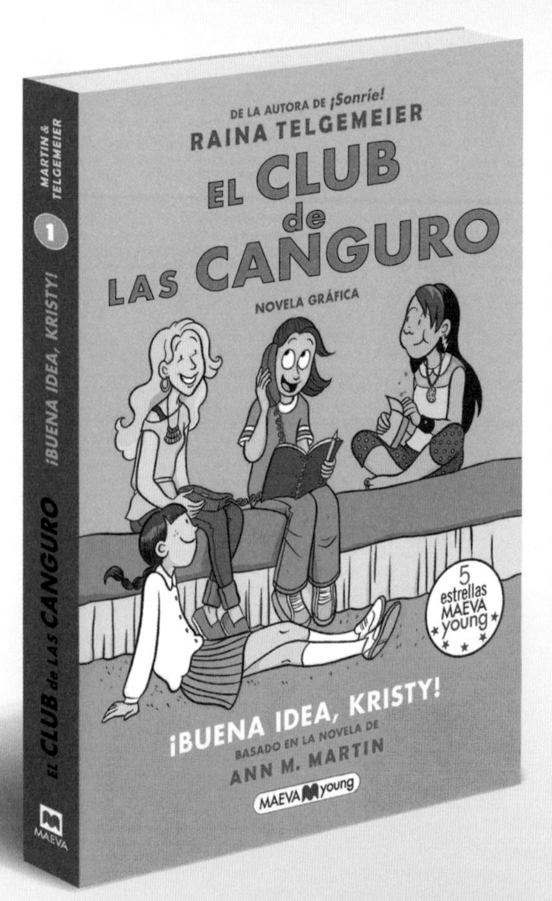

DE LA AUTORA DE ¡Sonríe!
RAINA TELGEMEIER
EL CLUB de LAS CANGURO
NOVELA GRÁFICA
5 estrellas MAEVA young
¡BUENA IDEA, KRISTY!
BASADO EN LA NOVELA DE
ANN M. MARTIN
MAEVA young
MARTIN & TELGEMEIER
1
EL CLUB de LAS CANGURO ¡BUENA IDEA, KRISTY!
MAEVA

Un día, al salir de clase, Kristy tiene una idea genial: ¡organizar un club de chicas canguro! Sus amigas Claudia, Mary Anne y Stacey, una compañera nueva del instituto, se apuntan sin pensarlo. Trabajar como canguro, les dará la oportunidad de pasarlo bien y ganar un dinero extra para sus cosas. Pero nadie las ha avisado de las gamberradas de los niños, de las mascotas salvajes ni de los padres que no siempre dicen la verdad.

¿TE VAS A PERDER LAS AVENTURAS DE LAS CHICAS CANGURO?

EL CLUB de LAS CANGURO

El secreto de Stacey

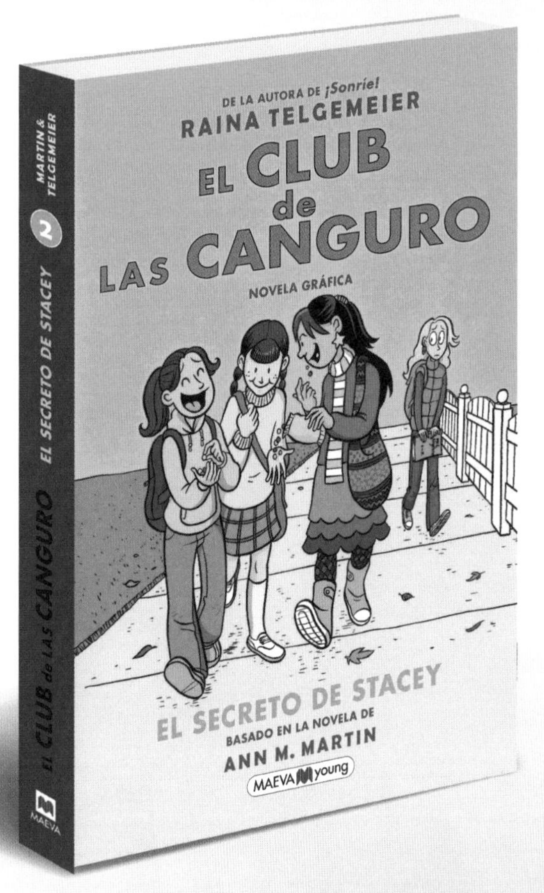

DE LA AUTORA DE ¡Sonríe!
RAINA TELGEMEIER
EL CLUB de LAS CANGURO
NOVELA GRÁFICA
EL SECRETO DE STACEY
BASADO EN LA NOVELA DE
ANN M. MARTIN
MAEVA young
MARTIN & TELGEMEIER
2
EL SECRETO DE STACEY
EL CLUB de LAS CANGURO
MAEVA

¡Pobre Stacey! Acaba de mudarse de ciudad, está acostumbrándose a su diabetes y, por si eso fuera poco, no dejan de surgir contratiempos en su trabajo de canguro. Por suerte tiene tres nuevas amigas: Kristy, Claudia y Mary Anne. Juntas forman El Club de las Canguro, capaces de enfrentarse a cualquier problema... ¡incluso a otro club que quiere hacerles la competencia!

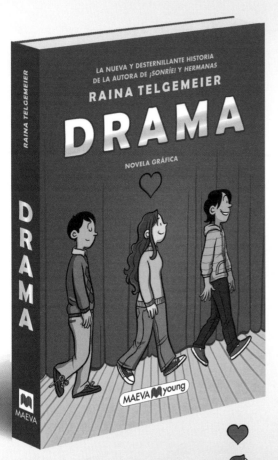